LE CERCLE DES IMPUNIS

Paul Merault

Le cercle des Impunis

Roman

Fayard

L'éditeur remercie Jacques Mazel pour sa contribution.

ISBN : 978-2-213-70995-6
© Librairie Arthème Fayard, 2018.
Dépot légal : novembre 2018

Le prix du Quai des Orfèvres a été décerné sur manuscrit anonyme par un jury présidé par Monsieur Christian SAINTE, Directeur de la Police judiciaire, au 36, rue du Bastion. Il est proclamé par le M. le Préfet de Police.

Novembre 2018

À toutes les victimes de l'obscurantisme…
À tous ceux qui ont donné leur vie
pour préserver notre liberté…

« Puissent tous les hommes se souvenir qu'ils sont frères ! »

Voltaire, *Traité de la tolérance*, 1765

« Il n'y a point de plus haute vengeance que l'oubli. »

Baltasar Gracian,
L'Homme de cour, 1647

1

Brixton. Ceux qui s'y sont aventurés n'en parlent jamais. Une localité moins fréquentable encore que l'enfer. Horriblement dangereuse, même pour ses fantômes rasant les murs. Dans ce quartier populaire de l'est de Londres, le décor de la violence a la couleur de ses tuiles sombres.

Dans la foule des victimes possibles, l'une d'elles n'avait pas eu le temps de s'en inquiéter. Sa vie s'était échappée par un orifice à peine visible à la base du crâne, aussi sûrement que le brouillard londonien prolongeait l'obscurité de la nuit. Ignorant ce grand corps étendu sur la chaussée, des silhouettes se hâtaient vers la station de métro. À l'approche de cette unique source de chaleur, un passant ralentit sa marche devant la masse informe gisant au sol sous ses yeux. Après avoir jeté un coup d'œil circulaire, il reprit sa route en rajustant sa capuche. Au risque de se rompre les os, il dévala les escaliers, paniqué.

L'homme dont le sang ne s'écoulait plus, n'avait plus rien à faire de l'indifférence générale. Son visage tuméfié plongeait dans les eaux du caniveau. Un chien se hasarda à venir renifler l'odeur de la mort. Dérangé par les lumières des phares, l'animal sauta par-dessus le cadavre, pour disparaître dans la brume automnale.

Ce corps sans âme, dans un uniforme bleu marine, n'était pas arrivé au bout de son calvaire. Un chauffeur de taxi n'avait pu l'éviter. Dans une embardée, le véhicule avait fini sa trajectoire sur le côté droit de la chaussée. En sortant de sa voiture pour voir ce qu'il avait heurté, l'homme pestait contre l'indigence et les déficiences de la voirie britannique.

Sa colère fit place à de la peur, puis à de l'abattement. Sonné debout, il perçut vaguement la sirène d'une voiture de police, suivie d'un crissement de pneus. Ébloui par une lumière accusatrice, il dut répondre à la question :

— C'est à vous le taxi ?

Il réalisa qu'il n'avait pas coupé le moteur. Les yeux baissés, il tendit ses mains en avant, anticipant le contact du métal froid des menottes. Pourquoi lui ? Sa réputation de chat noir n'était pas usurpée. À quelques jours de prendre sa retraite, le destin lui jouait un tour. Son nom s'inscrirait sur la liste peu glorieuse des criminels de la route.

— Qu'est-ce qui s'est passé ?

La lampe toujours en pleine figure, il balbutia d'une voix tremblante :

– Je rentrais chez moi. Je ne comprends pas, j'ai roulé sur quelque chose ! Ma femme doit s'inquiéter.

En état de choc, ce souci familial accessoire lui paraissait plus important que le drame qui venait de pourrir sa fin de nuit. D'autres policiers venaient d'investir la scène de l'accident.

Le vieil homme ne voyait que leurs dos penchés sur le trottoir. L'écho des échanges radios couvrait à peine leurs voix. Le chef d'équipe éclaira le visage de la victime au sol, pendant qu'un de ses collègues lui prenait le pouls à la carotide. Il eut un mouvement de recul.

– C'est James ! Peter James. Il est mort. J'ai fait équipe avec lui sur le deuxième district.

Le visage blême, sans quitter des yeux son ancien partenaire, il éructa, ému et révolté :

– Qu'est-ce qu'ils foutent, faites-moi venir cette putain d'ambulance !

Comme en écho, une deuxième injonction claqua, celle-là encore plus cinglante :

— Dégagez ! Vous entendez ? De l'air ! Reculez, je ne veux voir personne dans un rayon de dix mètres.

Une ombre s'approcha des policiers agenouillés sous le rayonnement blafard d'une lune affaiblie. Ils reconnurent le physique imposant du Superintendent Perkins de la Metropolitan Police.

— Le premier que je vois fouler la scène de crime aura affaire à moi !

Le « crime » ne faisait aucun doute. De l'endroit où il était, il distinguait à l'arrière du crâne une perforation certainement liée à l'impact d'un projectile. La procédure, en matière de mort violente d'un membre des forces de l'ordre, accidentelle ou pas, exigeait la présence d'un officier de police judiciaire. Par hasard, il passait par là et avait vu l'attroupement sous le halo bleu des gyrophares. L'homme en tenue qui venait de se redresser, relaya l'ordre de l'officier :

— Reculez !

Les *bobbies* s'exécutèrent et établirent un périmètre de sécurité à l'aide d'un ruban de balisage. Debout, les jambes écartées, le grand flic de la police judiciaire britannique enfila des gants en latex et s'accroupit pour ramasser une douille coincée entre les pavés mouillés.

Perkins examina la munition, puis la déposa ostensiblement au fond d'un sachet en plastique. D'un geste mécanique, il enfouit le scellé dans la poche de son imperméable.

Gaillard au physique de rugbyman, la réputation du colosse aux mains rugueuses était celle d'un flic déterminé et compétent. Ses oreilles déformées, stigmates de longs affrontements en mêlées, ne donnaient pas envie de se frotter à lui. Le sourcil dru, la mâchoire carrée, il n'avait pas une gueule d'ange. En pivotant sur lui-même, il sembla ignorer la masse de chair inerte étendue à ses pieds. Ses yeux tentaient de percer l'obscurité à la recherche improbable d'un tueur embusqué. Un détail de comportement pouvait-il confondre un criminel caché au milieu des badauds ? Un meurtrier tenté de rester sur place, le spectacle des forces de l'ordre intensifiant la dose d'adrénaline de l'assassin… ?

— Perkins, comment ça va, mon vieux ? Tu n'as pas de bol, je suis de permanence.

Il se retourna vers le médecin légiste le plus atypique de la capitale britannique. Sa veste vert pomme et ses lunettes jaunes, en équilibre sur un nez trop court pour en assurer la stabilité, donnaient au personnage une allure de bobo londonien. Seul, son cartable en vieux cuir noir trahissait l'austérité de sa profession.

— Content de te voir même si, en général, la mort te précède !

— Arrête ton baratin, Perkins, nous sommes un vieux couple au chevet de victimes expiatoires. Des témoins morbides de l'âme humaine, voilà ce que nous resterons !

L'enquêteur souleva le ruban rouge pour laisser pénétrer le médecin sur le site. Les mains dans les poches de son imperméable, il le fixa dans le blanc des yeux :

— Garde ta salive pour tes étudiants. Dis-moi ce qui s'est passé cliniquement. Et épargne-moi ton jargon universitaire !

Le médecin légiste ne l'écoutait plus, déjà concentré sur l'examen de la victime. Les flics s'employaient à détourner la circulation de plus en plus dense. La présence des forces de l'ordre avait attiré des curieux. Perkins tournait comme un lion en cage, même si une nouvelle affaire criminelle n'était pas de nature à l'angoisser.

Un monde sans crimes l'aurait relégué au rôle de parasite social. Aussi horribles fussent-ils, il devait une fière chandelle à ces tueurs, déjà passés à l'acte ou clients potentiels. Dans ses moments de spleen, il se prenait pour un vautour à vocation de nettoyeur. Mais il savait qu'à lui seul, il ne pouvait débarrasser la société de ses déviants. Comme le rapace inquiétant, il avait l'impression de se repaître sur les carcasses des victimes, se nourrissant des dépouilles mortelles passant après que le prédateur ait rassasié sa faim.

Ce soir, un élément le contrariait. La qualité de la victime allait être jetée en pâture aux « charognards » des faits divers qui, eux, ne nettoyaient rien et polluaient l'air chargé des émanations qu'il respirait. Comme un vieil ours, il interrogea le toubib d'une voix proche du rugissement :

— Alors, ton diagnostic ?

Perkins voulait entendre ce qu'il avait déjà deviné. Des années d'enquêtes criminelles lui avaient permis d'approfondir ses connaissances en médecine légale. Sans quitter le cadavre des yeux, le docteur se releva en enlevant ses gants :

— Le décès remonte à entre trois et six heures, le corps est encore souple, la température rectale de 34 degrés. Il ne présente pas de signe d'asphyxie aux extrémités. Il faudra attendre l'autopsie, mais on peut présumer qu'un projectile responsable de l'orifice ouvert à l'arrière du cou, s'est logé dans la boîte crânienne.

Il reprit son souffle avant de poursuivre :

— J'imagine qu'il doit ses deux jambes brisées au taxi que j'ai vu en arrivant. Le poids de nos chères berlines anglaises l'a achevé ! Au moins, dans l'état où il était déjà, il n'a pas souffert.

Il interrompit son compte rendu clinique, en espérant une réaction chez son compagnon de procédures mortuaires.

— Je continue en prenant le risque d'être étranglé par un flic colérique, ou je garde la suite de mes déductions pour mes mémoires ?

Les traits de Perkins ne trahirent aucune émotion. Seul un tressaillement dans la broussaille de ses sourcils fut perceptible. Sa langue claqua dans sa bouche comme pour rappeler qu'il était de la race des carnassiers. Il se rapprocha du légiste. Une lueur animale éclairait ses pupilles.

— Continue.

Le flegme britannique du médecin venait de gagner une manche sur la patience très entamée de l'enquêteur.

— Si je m'autorisais à jouer au Sherlock Holmes de service, à voir l'alliance à son doigt et l'uniforme qu'il porte, cet homme n'était pas venu chercher le frisson dans les bras d'une prostituée. Denrée abondante dans cette rue mal famée ! Aurait-il été victime d'un rendez-vous professionnel ayant mal tourné ? Dans toutes les hypothèses, c'est du travail d'orfèvre. Propre. Sans bavure. Ça nous change des boucheries de ces derniers temps.

Le chef de la Crime londonienne haussa les épaules :

— Peut-être un tir de précision ? Peut-être seulement une cible touchée par hasard ? Reste à savoir à quelle distance le criminel a opéré pour réaliser son œuvre. On verra avec la balistique. Je peux espérer les résultats de l'autopsie avant demain ?

L'homme à la veste en tweed coloré arbora un large sourire.

— Le crabe m'a bouffé un poumon m'enlevant tout espoir de léguer mon corps à la faculté de médecine. Je ferai honneur à la bouteille de whisky que tu vas me devoir, cher ami !

— Messieurs, pouvons-nous travailler, s'il vous plaît ?

Perkins se retourna, surpris par cette marque d'insubordination. De l'autre côté du cordon, les techniciens de l'Identité judiciaire s'imposaient, mallettes à la main, vêtus de leurs combinaisons blanches intégrales. Son œil avisé remarqua, au milieu des badauds, la présence d'Ann Smith, son adjointe. Petit bout de femme blonde

d'une trentaine d'années au look andro-
gyne, cheveux courts, blouson de cuir et
jean. La fliquette collait aux standards des
fictions télévisuelles. Un carnet à la main,
elle commençait à recueillir les premiers
témoignages. Perkins souleva le cordon de
protection.

— C'est bon les gars, allez-y.

Il leur remit le sachet contenant la douille.
L'officier des scellés, rôle unique dans la
police britannique, le prit sans un mot, les
yeux pleins de reproches. Une règle d'or
de la procédure pénale risquait d'avoir été
transgressée parce que des clichés photos
auraient dû matérialiser l'endroit exact de
la découverte.

En réalité, Perkins savait que la douille
ne pouvait être celle de l'arme utilisée par
le tueur. D'expérience, il avait vu du premier coup d'œil que le calibre, du 9 mm
parabellum, ne correspondait pas à celui
de l'orifice dans le cou de la victime.

Il l'avait pourtant ramassée dans un
geste quasi théâtral, uniquement pour
impressionner la galerie et tenir à distance
toute personne étrangère à la police criminelle.

Ann n'avait aucun doute. Son chef n'aurait pas commis une telle erreur. Il nota

l'amusement dans les yeux complices de la jeune femme.

— Qu'est-ce que tu as foutu, tu en as mis du temps !

— J'ai fait aussi vite que j'ai pu. Même avec l'avertisseur sonore, j'ai galéré pour contourner l'embouteillage.

Le passage d'un camion sur la chaussée mouillée l'obligea à élever sa voix :

— Mais toi, comment tu as fait pour être ici avant moi ? Le PC radio vient tout juste de relayer l'appel !

Il fit semblant de ne pas entendre. Personne ne connaissait vraiment sa vie privée. Depuis une vingtaine d'années, il vivait avec sa compagne, justement à quelques encablures.

S'il n'avait pas mis à l'ombre le meurtrier de son mari, il n'aurait jamais rencontré Michèle, professeur de mathématiques au Lycée français de Londres. Le quinquagénaire fort en gueule, au caractère tranché, cachait une sensibilité plutôt rare dans le monde du crime. Laisser transpirer des indices sur sa vie « normale » lui aurait été fatal, tellement il avait d'ennemis dans la profession. Sa dégaine de monstre sans états d'âme, lui permettait de garder sa place dans le milieu, le protégeant de l'anthropophagie confraternelle dominante sur la place judiciaire londonienne.

Le téléphone portable du policier se mit à vibrer, sans le faire réagir. Légèrement agacée, Ann attira son attention :

— On essaye de te joindre !

— Qu'est-ce que j'en ai foutu ?

Il sortit brusquement l'objet enfoui au fond d'une de ses poches, pour répondre sèchement :

— Oui !

La voix de son directeur résonna à ses oreilles :

— Perkins, bougez-vous ! Un flic assassiné, ça fait des vagues au plus haut niveau. Vous n'ignorez pas que le ministre est déjà sur la sellette. Tous ces homicides sur Londres depuis quelques semaines, ça fait désordre. La presse va en faire ses choux gras. On va encore en prendre plein la gueule !

Le directeur de la Police judiciaire britannique exagérait volontairement la situation. Une femme avait récemment été tuée sous les coups d'un schizophrène en pleine crise de démence. Une affaire élucidée en moins de 24 heures.

— Perkins, vous m'entendez ?

— Oui, monsieur, je vous écoute !

— Je vois déjà les titres : *Un flic abattu :
la sécurité bafouée* !

— Je ne peux pas aller plus vite que la
musique, et même si la victime était Lord
à la Chambre !

— La police des polices est déjà dans
l'antichambre du directeur de cabinet pour
nous retirer l'affaire.

— Merde !

Sa colère résonna dans l'oreille de son
patron à la Metropolitan Police :

— C'est la meilleure façon d'alimenter
les rumeurs. Les journalistes vont sauter
dessus, à pieds joints. De victime, notre collègue va passer au statut de flic corrompu.

— Raison de plus, Perkins, pour faire
rapidement la lumière sur cette affaire.
Pour l'instant, je leur ai donné un os à ron-
ger. Je leur ai dit que vous étiez l'homme
de la situation. Ne me faites pas mentir !

— Bien, mons...

Son supérieur venait de lui raccrocher
au nez avec son tact légendaire. Il remit
le téléphone dans son imperméable, d'un
geste rageur. Et voyant que l'Identité judiciaire avait terminé son œuvre, il s'adressa
aux ambulanciers :

— On peut faire enlever le corps, direction l'Institut médico-légal.

Ann revenait vers lui, après avoir discuté avec les agents de la Criminelle.

— Pendant que tu étais avec le boss, j'ai chargé l'équipe de commencer l'enquête de voisinage. L'immeuble qui donne juste en face est vide. Il est voué à la destruction.

— Si l'angle de tir est conforme à ce que je pense, vu la taille de James qui fait bien 1m90, le tireur s'y est sûrement positionné dans les étages.

En visualisant le bâtiment en question, Ann suivait la logique de son chef :

— Ce qui laisserait supposer que l'agresseur attendait sa proie. Il avait repéré sa cible, sinon ses habitudes. Encore faudrat-il éclairer les raisons de la présence de Peter James dans cette rue, en pleine nuit.

Perkins passa sa main épaisse sur ses cheveux taillés en brosse.

— Il manquerait plus que le toubib se trompe ! Une histoire de mœurs chez les *cops** !

Ann le regarda sans comprendre, n'ayant pas assisté à l'échange avec le légiste, avant de pousser plus loin son raisonnement :

— À moins que le tireur soit complètement fêlé et qu'il ait voulu flinguer tout ce qui bouge indistinctement.

---

* Flics, en anglais.

— Un malade mental ne se serait pas arrêté à une seule victime. Il aurait profité de la situation pour faire un carton.

Ann reconsidéra l'immeuble en briques rouges.

— Et si l'on avait voulu juste se faire un flic ?

Perkins releva le col de son imperméable.

— Je veux tout savoir sur James. Jusqu'aux détails les plus intimes de sa putain de vie. Fais entendre tous les mecs de sa brigade, y compris les galonnés. Vérifie aussi ses états de service. Il a peut-être déjà franchi la ligne blanche.

Un policier en tenue s'approcha :

— Monsieur, excusez-moi de vous déranger, mais le Central demande qui va se charger de prévenir sa famille à Fulham. D'après la fiche consultée sur notre base, son épouse se prénomme Laura.

Perkins se racla la gorge :

— Comme d'habitude, on se tourne vers moi comme vers l'homme qui vide les poubelles sans rechigner ! Vers le natif de Portsmouth plus familier de l'odeur de la pourriture que de celle de la brise marine. Il se dit que je suis assez blindé pour affronter la détresse des familles, n'est-ce pas ?

L'agent restait figé, les bras le long du corps, sans répondre.

— Dites-leur que je m'en occupe. De toute façon, pour l'enquête, j'ai des questions à poser à son épouse.

Le jeune policier s'éloigna, soulagé, pour passer le message radio.

— Ann, on va nous mettre la pression sur cette affaire.

— Je sais.

— Hors de question de bâcler cette enquête ! Encore moins de fournir sur un plateau une piste bidon pour calmer la presse à scandale.

Il avait besoin de vider son sac :

— De là à ce qu'ils te promettent une promotion pour entrer dans leur jeu !

La colère lui servait de soupape. Il ne se sentait plus en phase avec l'évolution de son métier. Le temps médiatique ne pouvait pas imprimer le rythme d'une enquête. Ann savait le calmer :

— Rassure-toi. C'est vrai qu'à tes côtés je n'ai pas reçu la formation la plus académique. Mais je n'ai pas l'intention d'interrompre ma collaboration avec le flic le plus antipathique de Londres.

Elle rajouta avec un sourire en coin :

— En tout cas, pas tant qu'il aura le meilleur taux d'élucidation.

Le visage massif de Perkins s'éclaira. Cet homme était donc capable de s'exprimer sans fulminer. S'il avait eu une fille, il aurait aimé qu'elle ressemble à Ann, avec du charme à revendre et une gouaille d'effrontée. Consciemment ou pas, il n'avait pas eu envie d'assumer une descendance. Le trop-plein de laideur et de souffrance de la société l'empêchait de croire en un avenir meilleur. Il remonta le col de son imperméable. L'humidité hivernale engourdissait son corps de géant.

— Quel temps de chien ! Allez, je vais jouer l'oiseau de mauvais augure. On se retrouve au service.

2

Même en hiver, avec ses pierres blanches, la gare Saint-Charles semblait écrasée par le soleil. Ce jour-là, le TGV n'avait pas déversé son flot habituel de touristes à l'accent pointu. La voix enregistrée du chef de gare égrenait, d'un ton monocorde, les indications pour les correspondances. Michel Caradec n'en avait pas besoin. Il était bien arrivé à destination. Une envie pressante lui fit vite quitter le train : sortir enfin pour en griller une. Sur le quai, avec une grimace de dégoût, il jeta dans une poubelle la cigarette électronique qui lui avait permis de tenir le temps du voyage. Non, décidément, il ne se ferait jamais à cette sorte de pipe à vapeur.

Sur le parvis, en haut de l'escalier monumental donnant sur la rue d'Athènes, il s'arrêta et ferma les yeux pour inhaler jusqu'au plus profond de ses bronches, la douce fumée opaque, riche en substances cancérigènes. Ce poison subtil lui permettait de reprendre ses esprits. Il respira aussi l'air de Marseille à pleins poumons. La pointe de mistral n'était pas chargée, comme dans ses souvenirs d'enfance, de l'odeur d'iode caractéristique des villes côtières.

Il ne fut pas surpris de voir que personne n'était venu le chercher. Sa mutation à Marseille n'avait fait l'objet d'aucune notification officielle. La direction de la Police judiciaire parisienne, souvent moins discrète, lui avait fait cette fleur !

À la suite d'une enquête devenue trop médiatique, on lui avait conseillé de prendre ses distances avec le 36. L'un des piliers de cette institution légendaire avait ainsi été invité à se diriger vers la sortie avec un avancement au grade de commissaire divisionnaire, bien sûr. Une promotion « à titre d'inhumation », comme il disait.

L'homme qui avait visé des centaines de procès-verbaux de synthèse criminelle, avait posé une condition : obtenir le poste le plus éloigné géographiquement, sans tambour ni trompette, sans discours ni hypocrisie.

Avec panache, il avait réussi à partir sur la pointe des pieds, avec son indéfectible sens du service public. Il n'avait jamais critiqué la décision d'ouvrir une enquête interne sur lui. La conclusion l'avait blanchi. Son taulier avait mouillé sa chemise pour le soutenir et limiter la casse. Mais son honneur avait été sali par une presse tendancieuse à son encontre. Pour longtemps, il porterait la marque du soupçon.

Distrait par le ballet des pigeons, il n'avait pas vu un taxi approcher.

— Bienvenue à Marseille, monsieur. Où doit-on vous conduire ?

Cet accent caractéristique qu'il avait perdu en montant à la capitale, résonnait avec nostalgie à ses oreilles. Caradec était indécis. Marcher ou emprunter ce taxi ? De toute façon, il n'était pas attendu.

— Je vais à l'Évêché.

— C'est à peine à deux kilomètres ! Avec cette circulation, vous y seriez aussi vite à pied.

— Prenez le chemin des écoliers. Je ne suis pas pressé. Je vais voir si cette ville a beaucoup changé.

Caradec avait tout du touriste parisien qui osait prétendre connaître la ville en échangeant des clichés usés d'avoir trop servi.

— On me dit que les bruits des glaçons dans les verres étaient ici couverts par les rafales de kalachnikovs.

— Je ne sais pas à quand remonte votre dernier passage dans notre région, mais je peux vous assurer que ce n'est pas tellement exagéré. Même s'il nous arrive localement d'en faire beaucoup en prétendant que les sardines peuvent boucher le port !

— Vous-même, vous avez été menacé ?

Le chauffeur donna un coup de menton, en essayant de prendre l'air d'un dur :

— Qu'ils essaient pour voir ! Le calibre de mon père est dans la boîte à gants. Je ne leur conseille pas de venir me braquer. J'y passerais peut-être, mais j'en entraînerais quelques-uns avec moi dans la tombe.

Il jeta un nouveau coup d'œil sur Caradec qui gardait le silence en regardant par la fenêtre.

— Je parle, je parle, mais vous n'êtes pas flic au moins ?

— Si je l'étais, qu'est-ce que ça change-rait ?

— Ben, heu…, enfin, vous comprenez…, faut pas croire, je ne suis pas un barjo de la gâchette. J'ai un permis pour mon arme, vous savez…

— Ok, mais sûrement pas pour la porter au boulot dans votre taxi.

— Je m'en doutais, vous êtes policier. C'est vrai qu'à cet Évêché, on y va rarement pour faire du tourisme ou se confesser.

Caradec s'installa confortablement au fond du fauteuil.

— Je vous conseille simplement de remiser votre joujou dans un coffre. La sécurité est affaire de professionnels !

L'homme au volant retrouva vite des couleurs et reprit ses esprits en insultant un automobiliste qui venait de lui refuser la priorité.

— Excusez-moi ! Dans le coin, il faut gueuler pour se faire respecter. Au fait, je ne vous ai pas dit, mais j'ai un cousin qui travaille au commissariat. Vous le connaissez peut-être, Jules Santarelli. Il n'a pas la langue dans sa poche, c'est de famille. Ça lui a valu quelques déboires.

— Désolé, je ne connais plus personne dans cette ville. Mais il me paraît déjà sympathique, à ce que vous dites.

— On est d'origine corse, vous l'avez deviné. Il y a autant de Corses à Marseille que d'oursins dans les calanques. Il travaille à la Brigade criminelle, je crois. Enfin, à moins qu'il se soit fait virer depuis, le pauvre. Ça fait un bail que je l'ai pas vu. Je l'ai pourtant averti. Un flic, c'est comme un ministre, ça ferme sa gueule ou ça démissionne. J'ai pas raison ?

Caradec approuva en hochant la tête, plus ou moins convaincu d'après son expérience personnelle :

— C'est la règle, en effet. Le fameux devoir de réserve. Mais elle n'est pas toujours respectée avec la même conscience professionnelle.

Le chauffeur de taxi arrêta le véhicule et se retourna vers son client :

— Excusez-moi, je parle beaucoup et vous n'avez pas vu grand-chose. Sauf à vouloir faire un second tour, on est arrivé.

— Ça ira, merci. Je vais vous régler la course.

Ébloui par le soleil, son sac en bandoulière, il sortit du véhicule en attrapant machinalement son briquet pour allumer une nouvelle clope.

Il prit le temps d'admirer le fameux palais épiscopal de l'Évêché. En écrasant son mégot sous le talon, il eut cette réflexion à voix haute :

— Il n'y a pas que le 36 qui est mythique !

3

Le petit pavillon qui hébergeait la famille James n'était pas différent de ceux qu'on pouvait voir dans les quartiers branchés de la banlieue londonienne. Dans ces zones très prisées de la *middle class*, les rues étaient propres et les façades des maisons d'une blancheur insolente malgré la pollution ambiante. Les petits nids douillets s'alignaient, accolés, comme pour se protéger des hivers froids et humides. Perkins poussa le portillon métallique. Il arrangea le nœud de sa cravate avant d'appuyer sur la sonnette. Une jeune femme apparut dans l'embrasure. Un chignon retenait sagement ses cheveux blonds.

— Laura James ?

— C'est bien moi.

— Brian Perkins. Metropolitan Police.

Elle eut un mouvement de recul en se tenant la gorge. Ses yeux fixes écarquillés pressentaient l'horreur d'une mauvaise nouvelle. Comme toutes les femmes de flics qui se préparaient au pire, elle prit le choc de plein fouet.

— Peter !

— Laura, vous devez être forte.

Les jambes de la jeune femme vacillèrent. Il eut juste le temps de la retenir pour éviter sa chute. Elle se reprit et le repoussa fermement.

— Ça ira !

Sonnée debout, comme une automate elle rejoignit le salon, le laissant seul à l'entrée.

Sans attendre son autorisation, il pénétra dans la maison en refermant la porte derrière lui. Au milieu de la pièce, elle lui fit face, le visage grave. Ses mains tiraient nerveusement sur sa robe.

— Je veux le voir !

Perkins avança lentement vers elle et prit sa voix la plus calme :

— Pour l'instant, c'est impossible. Dès l'autopsie terminée, vous pourrez reconnaître le corps. Ce n'est qu'une question d'heures.

— Mon Dieu ! Comment vais-je l'apprendre à mon fils ?

Son inquiétude lui faisait oublier la présence de l'enquêteur. Il devait la ramener à la réalité. Peut-être par un propos plus léger ?

— Laura, à votre accent, je devine que vous êtes d'origine française ?

Cette parenthèse dans le drame qui la frappait, lui permit de reprendre le contrôle d'elle-même. Son regard se posa sur ce colosse qui l'interrogeait avec une douceur inattendue.

— J'étais venue ici pour mes études. Depuis, je n'ai plus quitté cet endroit où j'ai fondé une famille.

Les traits de son visage étaient d'une perfection rare. La longueur de ses jambes rajoutait à la grâce d'un physique avantageux. Il l'imaginait parfaitement travailler dans le mannequinat.

— J'y ai été tellement heureuse que mon pays ne m'a jamais manqué. À quarante ans, la moitié de ma vie s'est déroulée ici.

Elle revint au drame qui la frappait. Les doigts de ses mains raffinées se crispèrent.

— Mon Dieu ! Qu'allons-nous devenir sans lui ? Comment est-il mort ?

Il se racla la gorge :

— Il a été abattu dans une rue de Brixton. Il venait de quitter son service.

— Brixton ? Ce n'est pas son chemin habituel pour rentrer chez nous.

Il ne voulait pas lui donner trop de détails pour ne pas l'affoler.

— D'après vous, avait-il une bonne raison d'aller dans ce quartier ?

— Je ne vois pas.

— Madame James, votre époux se sentait-il menacé ?

Elle bondit, interloquée par ses allusions, puis elle dévisagea Perkins :

— Vous me demandez s'il avait des ennemis ? Je rêve ! C'est bien un policier qui me pose cette question ? Avoir des ennemis, c'est inévitable quand on fait ce job, non ?

Sous le coup de l'émotion, elle venait de s'exprimer en français. Il n'eut aucun mal à saisir le sens de cette remarque. Il s'était familiarisé avec cette langue auprès de sa compagne.

— Laura, asseyez-vous, s'il vous plaît.

— Depuis qu'il avait intégré les Stups, il n'était plus le même. On ne se voyait plus. Ses enquêtes comptaient plus que sa vie de famille !

— Vous avait-il parlé de quelque chose en particulier ? Réfléchissez, le moindre détail peut être important.

— Précisément, non. De toute façon, s'il avait eu des ennuis, il me les aurait cachés pour ne pas m'inquiéter. Mais je le sentais stressé. Lorsqu'il recevait des appels, il s'isolait. Il ne le faisait jamais auparavant.

Le téléphone de Perkins vibra. En soufflant bruyamment, il manifesta son agacement comme chaque fois que cet objet le dérangeait.

— Excusez-moi. Oui ?

Il écouta son interlocuteur et lâcha sèchement, avant de raccrocher :

— Attendez encore deux minutes !

Il s'exprima doucement dans le but de la calmer :

— Des enquêteurs vont mener des investigations dans votre maison. Un indice pourrait éclairer le meurtre de votre mari. Ce n'est pas au sens propre du terme une perquisition. Faites-leur confiance, ils sont placés sous mon autorité.

Dans ses yeux, il lut une détresse infinie.

— Ils peuvent fouiller partout. Je leur demanderai de me prévenir s'ils devaient emporter quelque chose.

— Évidemment. Avez-vous un ordinateur ?

— Oui. Peter passait des heures devant son écran. Il était devenu addict !

Perkins se leva.

— Mes gars le saisiront pour analyse. Vous avez de la famille qui pourrait vous accompagner dans ce moment difficile ?

— Oui, Sarah, ma belle-sœur, habite Londres.

— Si vous avez besoin de quelque chose, n'hésitez pas, appelez-moi.

Il lui tendit une carte de visite. Elle le fixa droit dans les yeux :

— Quand pourrai-je voir mon mari ?

— Je vais faire accélérer les choses, je vous le promets.

Elle n'eut pas la force de le raccompagner. En sortant, il croisa des enquêteurs de sa brigade qui attendaient sur le trottoir.

— Doucement, les gars, elle est anéantie ! Tenez-moi au courant.

4

Accueilli par un adjoint de sécurité, Caradec fut invité à patienter dans le couloir. Une porte capitonnée protégeait du monde extérieur le bureau du directeur de la DIPJ de Marseille. Marciac, le patron, le reçut en personne. Cet homme sec était vêtu du complet gris anthracite des décideurs. Il le salua d'une poignée de main virile.

— Entrez, Caradec. Asseyez-vous. Si vous pensiez couler ici une préretraite paisible, vous êtes mal barré !

— Monsieur, je ne sais pas ce qu'on a pu vous dire, mais mon arrivée dans votre service ne correspond pas vraiment à un plan de carrière.

— Je sais. On m'a déjà fait le topo.

Marciac tournait nerveusement un stylo entre ses doigts.

— Sale affaire ! J'imagine que vous vous en seriez bien passé. Et vos supérieurs aussi, si j'en juge par vos états de service antérieurs.

— Tout ça est maintenant derrière moi. Pas encore en préretraite, mais je ne vous cache pas que les nuits d'insomnie à traquer le criminel, c'est fini pour moi.

Le directeur ressentait déjà de la sympathie pour cet homme qu'il ne connaissait que depuis quelques minutes. Il en avait croisé des grands flics, des hommes et des femmes qui avaient juste fait le choix du bien contre le mal. Bien sûr, la réalité était bien plus nuancée que ça. Les « bons pères de famille » violeurs d'enfants, n'habitaient pas que l'imagination des romanciers. Ils sévissaient aussi dans la vraie vie, sans prévenir. La bascule du côté sombre n'épargnait personne. C'est justement ce qui était insupportable, plus encore que l'horreur elle-même.

— Je vous comprends. Mais vous n'êtes pas de ceux qui ne peuvent pas changer.

— Il fallait que je démissionne ?

— Non. La fuite n'est pas votre style. Qui va nettoyer les écuries d'Augias si des gens comme vous ne le font pas ?

Il fixa dans les yeux ce directeur qui, manifestement, devait savoir décortiquer les ressorts psychologiques de ses hommes, aussi subtilement que lui-même arrivait à déjouer ceux des criminels. Il aurait préféré avoir devant lui un administratif pur, un de ces « serviteurs » de l'État drapé dans

sa logique comptable, sur lequel il aurait
pu vomir sa haine du système.

— Monsieur le directeur, les placards
regorgent de mecs irremplaçables.

Marciac venait de reposer son stylo sur
la table.

— Caradec, je ne vais pas vous mentir.
Je ne vous attendais pas. J'ai déjà un chef
de la Crime. Non seulement il fait la maille,
mais en plus, son équipe serait capable de
le suivre jusqu'en enfer !

— Je ne revendique aucun poste.

— Hiérarchiquement, vous pourriez y
prétendre. Mais il ne mérite pas un coup
aussi tordu.

— C'est tout à votre honneur.

— Pour l'instant, installez-vous. Au fond
du couloir, vous avez un grand bureau où
on entreposait de vieilles archives.

Il réfréna mal un sourire ironique.

— On a gagné de la place. Aujourd'hui,
on dématérialise la paperasse. Ce local
n'est pas très clair, mais...

— Ne vous inquiétez pas. Je m'en conten-
terai.

— Je vais réfléchir à la façon dont je vais
vous occuper. La mode est aux chargés de
mission, je crois. Pour les formalités, voyez
avec mon secrétariat. À bientôt..., et ma
porte reste ouverte, si besoin !

Caradec se retrouva dans un couloir déserté. Où pouvaient être les membres du service ? D'habitude, l'ambiance des brigades ressemblait à celle d'une ruche. Il ne retrouvait pas le ballet caractéristique des interpellations, auditions et déferrements devant les magistrats. Encore moins les éclats de voix échangés entre les enquêteurs et les gardés à vue.

Un air suranné imprégnait le bâtiment vétuste. Le vieux parquet de chêne un peu fatigué était sûrement d'époque. Combien de fois ses lattes avaient-elles craqué sous les pas de criminels envoyés aux Baumettes ?

Il s'arrêta devant une fenêtre qui n'avait pas dû s'ouvrir depuis longtemps. La vue sur les toits de Marseille fit remonter en lui des souvenirs d'enfance.

5

L'Institut médico-légal de Londres était le seul bâtiment d'époque dans un quartier totalement reconstruit. Il semblait vouloir résister à la mue architecturale de la capitale britannique. Le crachin s'était transformé en pluie assez drue, poussant Perkins à allonger le pas. Sans le coup de fil du médecin légiste, il serait en train de se réchauffer avec une tasse de thé bien chaud, dans son bureau de la Metropolitan Police. Il savait que « l'embaumeur royal », comme il l'appelait quelquefois, n'était pas du style à le déranger pour rien.

L'intérieur de ces lieux lui était familier. La diffusion d'un mauvais parfum aux senteurs artificielles, ne suffisait pas à masquer les odeurs des chairs en décomposition. Dans la salle d'autopsie, le matériel sophistiqué tranchait avec la vétusté des locaux. Le médecin leva la tête.

— Quand on parle du loup… J'étais justement en train de causer de toi avec mon assistant.

Le jeune homme salua le policier d'un mouvement de tête, et poursuivit l'examen du corps de Peter James.

— Qu'est-ce que tu as, doc ? D'habitude, tu me préviens avant de commencer. Je te remercie quand même de m'avoir épargné le plus gros. Heureusement, la procédure britannique n'a pas changé. Ma présence n'est pas obligatoire à l'autopsie.

Son ami le toisa avec un air qu'il ne lui connaissait pas.

— Écoute, toi et moi on en a vu des choses, n'est-ce pas, dans ce foutu monde de barjos ?

— Crache le morceau, tu m'inquiètes !

— Regarde par toi-même.

L'assistant se décala pour laisser Perkins s'approcher de la table. L'abdomen de James était largement ouvert. Rien de plus normal, dans le cadre d'une autopsie. Mais en se penchant légèrement, il découvrit un fœtus à l'intérieur du ventre totalement vidé de ses viscères. Il dégageait une odeur de formol laissant penser qu'on avait voulu le conserver en prévision de cette mise en scène. Le géant émit un grognement en se passant la main devant les yeux, comme pour effacer cette image immonde. Le légiste lui-même avait encore du mal à commenter cette découverte sordide.

— Alors ?

Le policier sursauta et vomit une réponse cinglante, singulièrement décalée, histoire de cacher son trouble :

— Alors quoi ? C'est toi le doc !

— Là, mon vieux, les limites de la science sont atteintes. La balle est dans ton camp.

— Putain. Il manquait plus que ça !

Les mains dans les poches de sa blouse, le légiste fit quelques pas dans la pièce afin de rompre cette ambiance mortifère. Il privilégia l'intervention technique, celle qui apaise l'émotion :

— Comme on le présumait, la balle retirée de son cervelet a entraîné la mort instantanée. On l'a mise de côté pour l'examen balistique. L'abdomen a été vidé par une petite ouverture de 6 centimètres, juste au-dessus de l'aine. L'entaille en a été si finement refermée qu'elle n'a pu être opérée que par un professionnel de l'acte chirurgical. Le fœtus introduit doit avoir une vingtaine de semaines sans qu'on puisse encore être certain de son sexe. On a, bien sûr, procédé aux prélèvements d'ADN.

Il s'arrêta de parler pour observer Perkins qui n'avait pas bougé d'un pouce.

— Il y a autre chose !

— Autre chose ?

— Avant que tu n'arrives, j'ai procédé à l'enlèvement du bloc pharyngo-laryngé où j'ai découvert sur sa langue un signe énigmatique. Là, il va falloir être très perspicace dans la représentation symbolique. Mais je te fais confiance.

Un tatouage noir représentait une bougie allumée au centre d'un cercle... Le médecin était circonspect :

— Je ne comprends pas. Pourquoi cacher ce tatouage dans la bouche si on veut le faire passer pour une signature ? Qu'est-ce que tu en penses, monsieur le Superintendent ?

— Ce message ne nous est peut-être pas destiné. Cela pourrait être une façon de communiquer avec la victime, à titre posthume. Avant d'arriver à décrypter tout ça, la seule chose dont on peut déjà être sûr, c'est que James ne s'est pas fait buter là où on l'a trouvé !

6

Le vibreur de son téléphone taraudait son cerveau embrumé. Caradec jeta un coup d'œil sur l'écran lumineux. Quel numéro masqué pouvait bien l'appeler en pleine nuit ? En toussant, il essaya en vain de s'éclaircir la voix avant de prendre l'appel. Un borborygme s'échappa de sa bouche pâteuse :

— Oui !

— Caradec, ne traînez pas, j'ai besoin de vous !

Il se redressa dans le lit pour vérifier qu'il ne rêvait pas. Il n'était pas sûr de reconnaître son interlocuteur.

— Monsieur le directeur ?

— Ben oui, Caradec ! On est dans la merde !

Malgré le « bip » de fin d'appel, il garda le téléphone plaqué contre son oreille, quelques secondes encore. Pourquoi le patron de la DIPJ de Marseille lui demandait-il de venir ? À lui, le fonctionnaire remisé dans un emploi quasi fictif ? Il retrouva très vite ses réflexes conditionnés par des années d'enquêtes criminelles. Il sortit le plus discrètement possible du vieil hôtel dans lequel il était descendu. L'établissement n'était qu'à quelques centaines de mètres de l'Évêché.

Dehors, un vent hivernal balayait les feuilles de platanes. La lumière des réverbères éclairait un attroupement inhabituel devant le siège de la police marseillaise. Il accéléra le pas. Marciac, le directeur de la DIPJ, discutait avec un homme d'une soixantaine d'années. De nombreux policiers s'activaient autour d'eux.

— Alors, ce projecteur ?

Marciac hurlait plus qu'il ne parlait. Caradec le voyait faire de grands gestes nerveux. À ses côtés, l'autre personne aux tempes grisonnantes, très chic dans son manteau noir, ne respirait pas non plus le calme absolu, fixant du regard une masse sombre sur la façade du bâtiment. La lumière d'un projecteur éclaira alors le corps d'un homme, la tête en bas, pendu par les pieds au garde-corps d'une fenêtre du deuxième étage. Cette silhouette dans le halo lumineux, avait quelque chose de pictural et de religieux à la fois. Impossible pour lui de savoir si la vie avait abandonné ce corps de supplicié.

Des policiers accompagnés d'un médecin urgentiste installaient une échelle.

— Caradec, enfin !

La voix du directeur lui rappela qu'il était là sur ses instructions.

— Je te présente M. le procureur de la République.

Ce tutoiement de Marciac venait-il de l'intégrer officiellement dans son équipe ? Le magistrat serra la main de l'homme dont on venait de lui vanter les mérites.

— Pour faire bref, une patrouille qui rentrait au commissariat a découvert le corps de Martinez, tel qu'on le voit suspendu, sans vie. J'ai ordonné à la permanence de ne plus rien toucher, en attendant l'arrivée du procureur.

Tout en écoutant, Caradec suivait des yeux l'intervention. Debout sur l'échelle, le médecin examinait le corps. Les flashs des hommes de l'Identité judiciaire crépitaient avec frénésie.

— Qui était ce Martinez ?

— L'homme que tu as remplacé à la minute même où son cœur a cessé de battre. Le chef de la Criminelle.

Sous l'effet de la surprise, il tenta un trait d'humour :

— Ça fait de moi un suspect idéal !

— Caradec !

Le procureur profita du silence qui suivit ce commentaire déplacé pour prendre la parole :

— Si je comprends bien, vous héritez de l'enquête. Je me suis laissé dire que vous arriviez de Paris. Considérez que votre habilitation d'OPJ auprès du TGI est d'ores et déjà effective.

— Merci, monsieur le procureur, vous allez apprendre à me connaître. Je ne suis pas du style à déranger pour rien. Je suis assez autonome vis-à-vis de l'autorité judiciaire..., à l'égard de l'autorité en général, d'ailleurs.

Le procureur jeta un coup d'œil au directeur qui comprit alors que Paris ne lui avait pas tout dit sur ce fort en gueule.

— Mais rassurez-vous, vous serez informé de l'évolution de l'enquête chaque fois que ce sera nécessaire.

Il souriait pour détendre l'atmosphère.

— Maintenant, si vous le permettez et si j'ai bien compris, je dois monter jeter un coup d'œil là-haut.

Il avisa alors une femme qui prenait des photos depuis une voiture :

— Je suppose qu'il s'agit d'une figure de la presse locale.

— Exact, une des plus perspicaces. Elle compte quelques informateurs parmi nous.

— Il faut la tenir le plus loin possible de l'enquête.

— Je ne garantis rien. Il va falloir négocier. Le patron de son journal est puissant.

— Alors, je m'en occupe. Il vaut mieux lui lâcher quelques biscuits. Le pire serait de la laisser fantasmer à jeun !

— Tu as raison ! *Meurtre à l'Évêché* ! J'en ai le frisson rien qu'en imaginant le titre de son article.

Au moment où elle se dirigeait vers les autorités, Caradec en profita pour rejoindre la scène de crime toujours fortement éclairée où le corps de Martinez ressemblait à un épouvantail. L'écartèlement des bras de chaque côté, donnait l'impression qu'il avait été crucifié. Pourquoi avoir attaché la victime par les pieds ? Toujours sur son échelle, le médecin n'avait pas fini son examen. Caradec monta jusqu'au bureau du deuxième étage. Par la fenêtre ouverte, il se pencha légèrement :

— De quoi est-il mort, docteur ?

— Ce que je peux vous dire avec certitude, c'est que le décès remonte à plusieurs heures.

— Ce n'est donc pas l'afflux du sang dans la tête qui a pu le tuer ?

Le médecin se tourna vers lui :

— Ça aurait été difficile, il avait déjà été vidé de son sang. Vous voyez l'estafilade sur la veine jugulaire ? On l'a tout simplement saigné !

— De toute évidence, pas ici.

Le commissaire observait le parquet du bureau sans aucune trace visible. Le toubib en avait fini.

— C'est bon, on va pouvoir le remonter !

Aidé par un gardien, il hissa le corps pour l'étendre directement sur le sol. Un policier coupa le lien qui reliait la victime au garde-corps. Le divisionnaire posa un genou au sol pour mieux observer son ancien collègue. Un bruit de pas lui fit lever la tête.

— Commissaire Caradec ?

— C'est moi !

— Commandant Santarelli.

— Je me disais aussi ! Vous avez un air de famille.

— Je vois. Vous avez fait la connaissance de mon cousin Jeannot. Il ne peut pas s'empêcher de l'ouvrir, celui-là !

De petite taille et de corpulence moyenne, ce personnage de la PJ avait l'œil vif et le verbe haut, à la marseillaise.

— L'IJ a examiné la porte du bureau et le montant de la fenêtre. Pas de relevé de traces, ni papillaires, ni d'ADN. Nada, nulle part ! Y'a plus qu'à espérer que l'ordure qui

a fait ça, en a laissé sur les liens qui retenaient notre patron !

Caradec se redressa lentement et se rapprocha de la fenêtre pour jeter un coup
d'œil :

— Santarelli, vous qui êtes là depuis
Mathusalem, comment est la sécurité ici ?
Plus proche de celle d'une forteresse ou de
celle d'un moulin à vent ?

— Vous m'auriez posé la question avant,
je vous aurais répondu : « à quoi bon sécuri-
ser un site bourré de flics ? ». Mais depuis,
Vigipirate est passé par là. On a droit à
un dispositif vidéo en HD, s'il vous plaît,
une alarme anti-intrusion, des gardes sta-
tiques… C'est mieux gardé qu'au Vatican !

— Qui occupe ce bureau ?

— C'est le secrétariat de la Crime. Ici,
on ne ferme pas les portes après le boulot,
sauf la pièce du coffre à scellés. Il y circule
toujours du monde jusqu'à des heures tardives dans la nuit.

— En tout cas, vu la corpulence de Martinez, l'assassin tout seul n'a pas pu porter
son corps depuis l'extérieur. Il a dû faire
son œuvre sur place. Mais comment a-t-il
pu le saigner sans laisser de traces un peu
partout ?

Le médecin qui entendait la conversation, apporta une précision :

— Avec du matériel pour prise de sang, aiguilles, tubes… Il suffit d'orienter le flux vers une poche pour contenir les cinq ou six litres correspondant au volume sanguin d'un homme.

Caradec fit quelques pas dans le bureau et se baissa pour identifier certaines taches maculant le sol. Il ne s'agissait pas de sang mais d'une encre de couleur noire. Santarelli ne put s'empêcher de faire un commentaire :

— De l'encre dans un secrétariat, rien de plus logique !

Le commissaire se grattait la tête. Ce toc remontait à son enfance lorsqu'il se concentrait. Il se redressa et s'adressa d'une voix claire à Santarelli :

— Où est le bureau de Martinez ?

— Juste à côté.

Il suivit Santarelli. La pièce était ouverte, parfaitement rangée. Aucune trace de lutte ne laissait penser que le patron de la Crime s'y était fait agresser.

— Demandez à l'IJ de checker partout. Je veux que les bandes vidéos soient visionnées. Dans une heure, vous me réunissez tout le monde. Je vais distribuer les rôles. J'aurais préféré faire la connaissance du groupe dans d'autres circonstances.

— Ok, patron.

Il reprenait le ton directif du chef qu'il avait toujours été. Son autorité naturelle le dispensait d'élever la voix. Le médecin rangeait son matériel.

— Docteur, vous me délivrez un certificat de décès avec obstacle médico-légal à l'inhumation, cela va de soi !

— Bien sûr, je vous donne ça.

— Le code de procédure pénale s'appliquant aussi au-dessous de la Seine, Santarelli, vous faites le point avec le procureur qui va ordonner l'autopsie. Moi, je ne voudrais pas devenir trop intime.

— C'est un type sympa, vous verrez. Très pro.

— Je n'en doute pas. Mais je suis un peu autiste. On ne se refait pas.

7

Ann savait quand son chef avait la mine des mauvais jours. Il s'était installé dans son bureau sans saluer les membres de son groupe. À travers la cloison vitrée, elle le vit prendre un dossier dans son armoire avant même d'avoir enlevé son imperméable ruisselant de pluie. Poussée par la curiosité, elle se risqua à affronter sa mauvaise humeur :

— Tu fais la gueule ?

— Dans ce dossier, j'ai collationné tous les clichés des scènes de crimes perpétrés par des malades. Serial killers ou pas. Des affaires pas toutes élucidées. Un jour, tu peux en avoir besoin.

— Quel rapport avec notre enquête ?

— Réunis tout le monde. Ce que je vais vous dire est important !

En quelques minutes, les équipes de la Criminelle londonienne furent rassemblées. Un silence de cathédrale accueillit Perkins, l'air encore plus grave que d'habitude :

— L'un des nôtres, Peter James, s'est fait abattre comme un chien. Ce crime ne restera pas impuni. J'ignore les mobiles de son assassin. Tout démontre l'implication d'un déséquilibré dont la perversion est sans limite. S'il s'agit d'un simulacre, c'est particulièrement bien imité.

Il se tut quelques secondes pour lancer la projection d'un fichier photos. Le document avait été confié par le légiste avant la transmission officielle de son rapport d'autopsie. À la vue des images, un frémissement de stupeur exprima l'horreur ressentie par les agents, d'autant plus choqués que le défunt était un des leurs.

— Au-delà des clichés immondes que vous voyez, ce qui m'intéresse par-dessus tout, c'est le tatouage gravé sur la langue. Cette bougie allumée représente forcément le symbole de l'Esprit ou de la Vérité.

Il observait les visages défaits des enquêteurs découvrant le sort de leur collègue.

— Il va falloir que vous imprimiez cette marque au fond de vos cervelles. Si c'est le signe d'un courant sectaire inconnu, de groupes d'extrême droite ou d'ultra-gauche, de tueurs de flics, on ira les déloger jusqu'au fond de leur trou !

Son ton solennel impressionna l'assistance. Même Ann l'avait rarement vu dans cet état. Perkins ne semblait pas vivre ce drame avec la distance nécessaire. C'était son premier meurtre de flic victime d'un psychopathe. Le directeur qui venait d'entrer, préféra rester discret, pour ne pas rompre l'ambiance de mobilisation.

— Des questions ?

Une main se leva au fond de la salle.

— Reynolds, je vous écoute !

— Patron, est-ce que l'autopsie a révélé des traces ou de l'ADN ?

— On n'a rien à se mettre sous la dent. Lorsqu'on met en œuvre autant d'expertise et de machiavélisme à charcuter un corps, on n'est pas assez débile pour laisser des traces.

Ann sentit le moment d'intervenir pour épauler son chef :

— Avec un peu de chance, l'ADN du fœtus parlera. Celui des parents est peut-être dans des banques de données. Pourquoi pas un lien entre la mère de l'enfant et l'assassin ? On a vu le cas d'un mari trompé qui avait obligé sa femme à pratiquer un avortement par prise de substances, avant de déposer le fœtus devant la porte du père biologique. La vengeance, la trahison peuvent pousser des êtres humains à accomplir l'innommable.

Le temps d'un silence, Perkins précisa ses ordres :

— Le corps de Peter James a été déplacé et abandonné dans le quartier de Brixton. Avec toutes les caméras implantées dans cette ville, c'est bien le diable si on ne repère pas quelque chose ! Je veux des enquêtes de voisinage dans tout le secteur. On a peut-être un psychopathe non recensé dans le quartier. Bien que la perversion n'ait pas de sexe, je n'imagine pas qu'une femme ait pu procéder à une telle mise en scène. Considérez qu'avec ce crime sordide, on a déclaré la guerre à la police. Si l'assassin s'est attaqué délibérément à un représentant de notre institution, rien ne dit qu'il ne recommencera pas. Bougez vos informateurs. Prenez contact avec la *Special Branch** des Renseignements, ils connaissent peut-être une mouvance qui utilise ce symbole.

Il reprit son souffle en tirant ses épaules en arrière. Le Superintendent parut encore plus imposant...

— Je veux être aussitôt au courant de tout élément nouveau et significatif. Tant qu'on n'aura pas neutralisé ce fêlé, par respect pour la mémoire de James, je n'accorderai aucune demande de congés ! Allez, au boulot !

---

* *Special Branch*, équivalent du Renseignement territorial français.

Ann emboîta le pas de Perkins. Il n'entrait pas dans son bureau.

— Où tu vas ?

— Viens, on a quelque chose à vérifier.

— Si tu me disais de quoi il s'agit !

— Si un jour je dois faire l'objet d'une autopsie, c'est à mon ami légiste, et à lui seul, le meilleur dans notre cher royaume, que je voudrais confier mes viscères ! Je compte sur toi.

Ann sourit en regardant le dos à la carrure impressionnante de son chef.

— Alors appelle-le, parce que je vais te tuer si tu ne me dis pas où on va !

En empruntant les escaliers qui menaient au parking, ils croisèrent des policiers en tenue ayant terminé leur service :

— Faites gaffe, les gars, en rentrant chez vous. N'oubliez pas qu'il y a un tueur de flics dans la nature.

Le dernier de la colonne répondit en marquant légèrement le pas :

— Bien, monsieur ! Bonne journée à vous aussi !

La vieille Ford affichait un kilométrage outrancier au compteur, et la vitre, côté passager, ne se fermait plus complètement. Le chef de la Crime n'accordait que peu d'importance aux commentaires éculés sur l'état des véhicules, même s'il lui arrivait de plaisanter sur leur risque à rouler « à tombeau ouvert », au sens propre du terme.

Perkins savait qu'au New Scotland Yard dans le célèbre quartier de Westminster, son service n'était pas le plus à plaindre, surtout en moyens d'investigation et de police technique et scientifique. Ann prit le volant pendant que son chef se contorsionnait pour déplier ses jambes interminables et éviter de toucher le plafond de la tête.

— Alors, tu me vantais les qualités de « ton » médecin légiste, j'imagine qu'il t'a révélé un indice important ?

— On peut même dire fondamental. Nous avons affaire à un professionnel du scalpel !

— Un chirurgien ou un vétérinaire ?

— Quelque chose comme ça. Il y a une dizaine d'années, j'ai travaillé sur une affaire aussi sordide que celle qui nous occupe aujourd'hui. Patterson était un chirurgien dont le seul plaisir était de tuer de jeunes étudiantes et de modifier leurs visages pour leur donner les traits de la Joconde, celui d'une femme au visage doux, fantasmé. Dans sa folie, il est apparu qu'il se vengeait des souffrances que sa mère avait subies. Il n'était qu'un enfant lorsqu'un amoureux éconduit avait brûlé d'un jet d'acide le visage de la jeune femme.

— Qu'est-il arrivé à ce psychopathe ?

— On avait un fort faisceau de présomptions, mais nous n'avons jamais recueilli l'élément matériel suffisant pour le faire condamner. Par précaution et après avis des experts, le juge a décidé son placement d'office en hôpital psychiatrique. L'année dernière, des spécialistes ont décrété qu'il n'était plus dangereux pour la société !

— Pourquoi ce chirurgien s'en serait-il pris à James ? On est loin du profil de ses victimes.

— Nous avions diffusé son portrait, une fois identifié formellement. En consultant mes archives, tout à l'heure, je me suis rappelé qu'un policier stagiaire l'avait reconnu dans un bar. Celui-ci avait donné l'alerte qui avait permis son arrestation.

— Et ce stagiaire, c'était James ! Pourquoi tu n'en as pas parlé au briefing ?

— Pour l'instant, ce n'est qu'une piste parmi d'autres à vérifier.

— Et où habite ce docteur Jekyll ?

— Toujours chez sa mère, 5, Hopkins Street, dans le quartier de Soho.

Résolue, Ann démarra en faisant crisser les pneus sur le bitume lisse du parking.

8

L'hiver avait bien installé sur Londres ses volutes de brumes épaisses. La pluie et le vent n'étaient pas en mesure de dissiper ce fog humide et pénétrant. Par endroits, on aurait pu confondre ces ruissellements gras avec un écoulement de sang mêlé aux eaux usées, ravinant le sable entre les pavés mouillés. Perkins aimait ce décor, cette atmosphère criminogène qui estompait la frontière entre la vie et la mort, entre le clair et l'obscur. Les criminels agissaient rarement dans la lumière crue.

Lui avait choisi de les combattre sans se soucier du marigot dans lequel ils l'entraînaient. Le côté sombre de l'âme humaine l'attirait, comme les nuées de moustiques fixaient les chauves-souris autour des réverbères. Fort de ce même instinct, il détectait ses proies sans les voir. De même, la vie humaine attirait les serial killers et pouvait les piéger comme la lumière condamnait les insectes. Au terme de sa longue expérience de fréquentation de la déviance mentale, le vieux flic avait compris qu'aucune stratégie définitive ne pourrait jamais éradiquer le mal. À chaque fois, il réussissait à entrer dans la tête des malades et dans leur peau, pour mieux en comprendre les pulsions.

Cette forme de folie habitait plutôt des esprits à l'intelligence supérieure. De ces confrontations, il n'était pas toujours sorti vainqueur. Ils pouvaient ainsi disparaître plusieurs années et échapper à sa traque, pour resurgir au moment où il les attendait le moins. Plus encore que leur identité ou leur visage, il devait intégrer leur mode opératoire comme leur marque de fabrique, leur signature. Symboliquement, ils n'hésitaient d'ailleurs pas à signer.

Patterson, gravement perturbé depuis son enfance, avait fini par se focaliser sur Perkins qui l'avait défié chaque fois qu'il était passé à l'acte. Le sort de ses victimes n'était plus le seul exutoire à son plaisir sadique. Lorsqu'elles rendaient leur dernier souffle, il pensait à la perplexité et à la détresse de ce flic qui s'appliquerait à percer son secret. Dans son imagination délirante, il voyait Perkins, la mort dans l'âme, penché sur les chairs torturées. Il se délectait de son impuissance alors à interrompre sa trajectoire de monstre.

Le jour où Perkins avait donné une conférence de presse et diffusé son portrait-robot, il était entré dans une rage folle en brisant net le téléviseur. Découvrir les traits de l'homme qui avait décodé les ressorts de sa bestialité, l'empêchait de fantasmer ce partenaire, de le sublimer dans le monde de l'horreur. Jusqu'au jour où sa porte d'entrée avait volé en éclats sous le bélier des forces de l'ordre. Il avait alors reconnu physiquement celui qui le traquait, derrière les hommes en cagoule. Refusant de convenir qu'il avait été démasqué, Patterson avait tenté de cacher ses yeux avec ses mains. Perkins avait alors dégagé ses bras pour lui passer les menottes en prononçant ces mots implacables :

— Regarde-moi bien ! Souviens-toi de moi quand tu seras au fond du trou.

L'arrêt de leur voiture le fit émerger de ses souvenirs. Ann avait réfléchi de son côté :

— Au fait, Peter James n'avait aucune raison d'être en uniforme le jour où il s'est fait tuer. Il avait rejoint les Stups depuis un mois. Et s'il s'était équipé spécialement pour l'occasion ? Peut-être pour rencontrer son tueur ? Une façon de l'impressionner ?

Perkins secouait la tête en regardant les façades des immeubles de Hopkins Street.

— Je pense que son tortionnaire a délibérément habillé le corps.

— Il l'aurait donc tué pour la fonction
qu'il représentait ?

— C'est vraisemblable. James était alors
affecté dans une compagnie de circulation
quand il a donné l'information capitale qui
a permis d'arrêter Patterson. Celui-ci a eu
accès au dossier, via son avocat.

Ils arrivèrent devant un vieil édifice correspondant à l'adresse recherchée. Pour une
fois, l'accès n'était pas commandé par un
digicode. Le chef de la Criminelle poussa
la porte en bois qui grinça sur ses gonds.
Ann passa devant et actionna, en vain, l'interrupteur électrique. Le hall vétuste était
plongé dans l'obscurité. La lampe torche de
son téléphone portable lui permit d'éclairer
les boîtes aux lettres. Elle parcourut diffi-
cilement les noms aux caractères effacés,
avant de lire sur une étiquette décollée :

— Lisa Patterson, appartement 24,
deuxième étage.

— C'est bien le nom de sa mère.

Sur le palier, Ann finit par diriger le
faisceau de sa lampe sur le numéro de
l'appartement. Perkins tambourina de ses
grosses mains. Ils se placèrent de chaque
côté de l'entrée pour éviter tout tir éventuel
à travers la porte. Aucun son ne provenait

de l'intérieur. Il n'y avait pas non plus de lumière visible sur le seuil.

Perkins se mit à rugir :

— Police, ouvrez ou on enfonce la porte !

Ils ne pouvaient procéder autrement pour s'imposer. À part une hypothétique suspicion, rien ne permettait encore d'impliquer Patterson dans la mort de James. Perkins bluffait comme il l'avait souvent fait pour arriver à ses fins en situation d'urgence. Ils s'apprêtaient à redescendre lorsqu'une voix lasse et fatiguée se fit entendre :

— Qui est là ?

Ann s'avança vers l'œilleton et répondit sur un ton calme, rassurant :

— C'est la police, madame, ne vous inquiétez pas. On veut seulement discuter avec vous.

Après avoir actionné les deux verrous, Lisa Patterson apparut sur le palier dans une robe noire. D'une taille au-dessus de la moyenne, ses cheveux blancs recouvraient une partie de son visage. À son âge, cette femme n'arrivait toujours pas à assumer les stigmates de ses brûlures. Elle posa une main tremblante sur sa joue, comme pour se cacher encore plus du regard des autres. Ann baissa le faisceau lumineux de son téléphone portable.

— Lisa Patterson ?

— C'est moi !

— On voudrait savoir où se trouve votre fils, Philip.

— Il n'est pas là. Je ne sais pas où il est !

Sa voix dissimulait mal un trouble qu'elle n'arrivait pas à contrôler. Perkins avait perçu son malaise.

— À cette heure-ci, votre fils devrait être chez vous. Prend-il ses médicaments ?

Lisa Patterson tirait sur sa robe, de plus en plus nerveuse.

— Mon fils a quarante ans. Il y a long-temps qu'il ne me rend plus de comptes. Je suis âgée, comment voulez-vous que je vérifie s'il prend ses cachets ?

Ann fit un pas en avant.

— Avec votre accord, on voudrait voir sa chambre.

— Et si je m'y oppose ?

— Maman, laisse-les entrer !

Par réflexe, Perkins posa sa main sur la crosse de son arme. Il écarta doucement la propriétaire des lieux et pénétra dans l'appartement, suivi par Ann.

La moquette usagée, aussi verte et aussi sale que la couleur des murs, étouffait leurs pas.

— Par ici ! Au bout, sur votre droite.

Perkins n'avait pas oublié cette voix qui le guidait maintenant, posée et grave, masquant de façon surprenante le désordre mental de Patterson. En entrant dans la chambre, il reconnut l'homme qui avait hanté ses nuits, assis dans un fauteuil à bascule suranné. Une couverture recouvrait une grande partie de son corps. On devinait pourtant à peine sa présence sous la lumière tamisée d'un abat-jour en velours gris. La haine qui se lisait dans ses yeux témoignait de la violence de son itinéraire sanglant.

— Je n'ai pas touché aux cheveux d'une femme depuis mon incarcération. Alors, qu'est-ce que vous venez foutre ici ?

Ann l'observait, consciente d'être devant un cas pathologique incurable. Il aurait dû être physiquement laid, mais ses traits ne reflétaient pas la noirceur de son âme. Il faisait même plus jeune que son âge, et son charme avait sûrement opéré pour attirer ses proies. Elle se demandait comment cet homme qui avait prêté serment, formé pour sauver la vie, avait pu tuer en provoquant les pires des souffrances.

Avec dégoût, elle pensa à toutes les personnes qui s'étaient abandonnées en toute confiance à la lame acérée et vengeresse de son bistouri. Elle imagina aussi la frayeur rétrospective de ceux qui avaient découvert que leur chirurgien était un des tueurs en série les plus déviants de l'histoire du crime.

Ce n'était pas tant d'avoir administré la mort qui le rendait monstrueux, mais sa complaisance à profaner la partie la plus expressive et la plus personnelle du corps humain, le visage. Ann se représenta Patterson penché sur le corps de Peter James, en train d'insérer un fœtus dans son ventre...

Celui-ci semblait ignorer sa présence, concentré sur Perkins, sur ce policier qui lui avait définitivement interdit de jouir.

— J'aurais aimé tuer votre flic, malheureusement je n'y suis pour rien.

Comme beaucoup de Londoniens, Patterson l'avait appris par les chaînes d'information en continu. Il se doutait qu'ils venaient pour l'assassinat de James. Pourtant les résultats de l'autopsie n'avaient pas été communiqués. L'homme savait qu'on ne pouvait lui imputer qu'un meurtre « exceptionnel ».

— Avez-vous trouvé ma signature ?

Il faisait allusion aux scarifications à la lame de rasoir, retrouvées aussi sur les bras de ses victimes. Patterson cherchait à connaître les circonstances de la mort du policier, ou bien il en savait plus qu'il ne voulait le dire. Perkins n'était pas prêt à révéler le moindre renseignement, encore moins l'absence de sa « marque de fabrique ».

— Vous êtes souffrant ?

Un rictus cynique se dessina sur les lèvres de celui qui continuait à se balancer. Il étendit sa jambe, découvrant une cheville plâtrée. Perkins savait Patterson assez doué pour être capable de simuler une blessure l'empêchant de sortir de sa chambre.

En reposant son pied, il interrompit le mouvement du fauteuil à bascule et fit bouger ses bras sous la couverture. Ann et Perkins sortirent leurs armes en même temps. Patterson se figea, en continuant de sourire :

— Doucement, je veux vous apporter la preuve de mon innocence.

Il exhiba lentement ses deux membres sectionnés aux poignets. Patterson était maintenant amputé de ses mains. Il lut la surprise sur le visage du policier avec un ravissement cynique.

— J'ai pensé que c'était la seule façon de vaincre mes pulsions, de m'empêcher de récidiver.

Perkins remisa son arme dans son étui, tandis qu'Ann braquait encore le serial killer.

— Comment vous vous êtes fait ça ?

— Avec la seule chose que j'ai pu conser-ver de ma vie antérieure, une scie chirurgicale électrique. Un bijou qui a échappé à la saisie de mes instruments. Une anesthésie générale et la complicité d'un jeune interne ont fait l'affaire !...

Un silence étonné s'installa, plombé par ces révélations morbides.

— ...Une question vous brûle les lèvres, n'est-ce pas ?

Perkins le regardait sans vouloir entrer dans son jeu. Il préférait le laisser délirer.

— Vous vous demandez à quel moment je me suis trouvé allégé de mes extrémités ! Avant ou après la mort de votre flic ?

À son tour, Ann replaça son arme dans son holster. Elle pouvait désormais évaluer le machiavélisme sordide de ce malade.

Pour la première fois, Patterson s'adressa à elle, sans cesser d'observer Perkins :

— Votre collègue est pervers, et je m'y connais ! Il va essayer de profiter du grand âge de ma mère pour lui soutirer une information sur la date de ma mutilation. C'est inutile. Maman souffre de la maladie d'Alzheimer. Vous pouvez vérifier auprès de son médecin.

Puis il fixa la jeune femme qui fut parcourue d'un frisson en soutenant son regard.

— Dites-lui bien que mon avocat le ridiculisera s'il tente de me mettre cette affaire sur le dos !

De fait, en l'état, il était devenu inapte physiquement à tout acte chirurgical.

Perkins sonna la fin de l'entretien :

— Patterson, je vous conseille de ne pas faire le malin et de rester à notre disposition. Je ne vais pas vous lâcher.

En sortant avec Ann, ils virent Lisa Patterson prostrée sur une chaise, devant une cheminée sans feu. Dans l'escalier, ils n'échangèrent aucune parole, trop absorbés par ce qu'ils venaient de voir.

Ann rompit le silence en déclenchant l'ouverture centralisée du véhicule :

— Ce type est l'incarnation du mal. Si c'est lui, on n'est pas près de le confondre.

— Une expertise par un médecin nous permettrait de dater si les berges de sa cicatrisation sont récentes ou non. Mais pour une fois, je le crois. Il n'a que sa mère, et il lui voue une véritable dévotion. Elle n'en a plus pour très longtemps. Pourquoi prendrait-il le risque d'aller en prison ou de retourner en hôpital psychiatrique ?

— Donc, tu penses qu'il est innocent ?

— Directement, oui. Mais il peut avoir délégué son œuvre maléfique en guidant la main de quelqu'un d'autre. Un étudiant en médecine, et pourquoi pas ce jeune interne complice ?

— Il faudrait que celui-ci soit aussi perturbé que lui.

— À moins qu'il ne s'agisse d'une sorte
de *copycat**. Quelqu'un qui serait fasciné
par les talents morbides de Patterson, au
point de vouloir lui succéder dans l'horreur...

_____

* Copycat : imitateur

9

Par respect pour sa mémoire, Caradec n'avait pas voulu s'installer dans le bureau du commissaire Martinez. Sa dépouille reposait encore dans un tiroir frigorifique de la morgue. Il était loin d'imaginer intégrer le DIPJ de Marseille dans de telles circonstances. Le passage de relais s'était naturellement opéré au moment où l'autorité judiciaire lui avait confié l'enquête. Il n'avait pas droit à l'échec, sous peine de perdre toute légitimité au sein de sa nouvelle équipe. Chaque fois qu'un flic tombait sur le champ de bataille, le deuil frappait toute la famille policière, sans distinction de grade. « Serrez les rangs ! » devenait alors le mot d'ordre général.

Finalement, le directeur de la DIPJ avait légèrement grossi le trait. Son nouvel antre sous les toits n'était pas aussi sombre qu'il l'avait décrit. Les rayons du soleil venaient éclairer un bureau d'époque, même si ce meuble n'avait pas été entretenu depuis une éternité. Par la fenêtre, la cathédrale Sainte-Marie-Majeure était toute proche, au point qu'il avait l'impression de pouvoir la toucher. Cet édifice religieux semblait défier l'Évêché ravi à l'Église en 1906.

Il se demandait combien d'hommes chargés avant lui de faire reculer le crime, avaient pu occuper ce lieu. L'esprit du commissaire Antoine Becker, mort en août 1944 sous la balle d'un officier nazi, hantait encore ces murs et son esprit.

Il n'avait pas entendu frapper à la porte. Son adjoint fit irruption dans la pièce.

— Excusez-moi, patron…

— Ok, Santarelli, vous venez me dire qu'on m'attend ?

— Ils sont tous dans la salle de réunion. Prêts à faire votre connaissance ! L'accueil risque d'être assez froid. Le souvenir du commissaire Martinez…

— Je sais et je vais tout faire pour qu'ils ne l'oublient pas.

Santarelli n'avait pas menti. Une ambiance glaciale régnait parmi les enquêteurs de la Brigade criminelle, lorsque Caradec entra dans la salle. En raison de l'importance de l'enquête, trois groupes avaient été mobilisés. En leur faisant face, et avant de parler, il scruta tous ces visages fermés, inconnus, inquiets.

Lui reprochaient-ils l'assassinat de leur chef ? Le choc pouvait excuser les réactions les plus irrationnelles. La mort aurait pu frapper n'importe quel membre de ces équipes qui avaient choisi d'intégrer la fatalité d'un métier à risque. Mais aujourd'hui, c'était différent. Elle était venue cueillir l'un des leurs de la façon la plus ignoble, et dans leur sanctuaire, en plein cœur de l'Évêché.

— Je n'ai pas revendiqué la direction de votre brigade, mais je n'ai pas l'habitude de fuir mes responsabilités. On m'a confié la lourde tâche d'identifier l'assassin de mon prédécesseur. Je le ferai, et avec vous, parce que le métier de flic n'est efficace que solidairement. Vous avez encore plus que moi l'envie de neutraliser cet enfoiré. Mais pour ça, on doit rentrer les mouchoirs et se bouger le cul !

Il leur laissa quelques secondes pour digérer cette première prise de contact. Il ne se forçait pas. Franc, direct, Caradec n'était pas adepte de la câlinothérapie.

— Avant que des fausses rumeurs ne se répandent dans les couloirs, je tiens à préciser que je n'ai pas été viré du 36 parisien ! Je suis ici parce que j'ai le goût de la bouillabaisse dans mes gènes. Même si ça ne s'entend pas quand je parle !

Il n'avait pas l'intention de donner plus de détails sur la raison de sa mutation. Ils

auraient bien le temps de faire le rapprochement avec une affaire largement média-
tisée.

— Mon adjoint, le commandant Santarelli, reste votre chef de groupe, c'est-à-dire
celui qui continuera à coordonner vos
interventions en relayant mes instructions.
Il aura la difficile mission d'apprendre à
me connaître pour mieux deviner mes
intentions. Certains, après quinze ans de
cohabitation, ont jeté l'éponge. S'il est loyal
avec moi, tout se passera bien.

Santarelli lui adressa un sourire crispé.
Dès leur première rencontre, il avait pres-
senti le caractère atypique de son nouveau
taulier.

— Maintenant que nous avons échangé
nos CV, disposons-nous d'éléments nouveaux dans l'enquête ?

La vie et les investigations devaient
reprendre leur cours, et l'équipe dépasser le
drame. Santarelli réagit immédiatement :

— Sylvie, aux moyens techniques, va
passer au crible la téléphonie et la messagerie de Martinez. La juge Raynaud nous
a délivré la commission rogatoire.

— Parfait, quoi d'autre ?

— On a reçu un coup de fil du labo.
Pour une fois, ils n'ont pas traîné, prenant
l'examen en priorité. La corde qui a servi

à suspendre le corps provient d'accastillage de bateaux à voile. Lorsqu'il ne tue pas, notre criminel pourrait être un adepte des sports nautiques.

— Ok, passez en revue tous les magasins spécialisés de la région, cette corde peut avoir des caractéristiques spécifiques à l'un d'entre eux. Mais tout ceci ne permet pas de répondre à la question : comment est-il entré dans nos locaux, pour en ressortir sans être vu du gardien en faction ? Il faut visionner les images des caméras à l'entrée. Il s'est peut-être débarrassé de son matériel quelque part. Fouillez-moi tous les bâtiments ! Les containers poubelles ont dû être vidés ce matin. Vérifiez auprès du centre qui traite les déchets du 2e arrondissement.

Santarelli acquiesça d'un mouvement de tête. Une jeune lieutenant fraîchement sortie de l'école de police, semblait plus nerveuse que les autres.

— Madame ? s'inquiéta Caradec.

— Lieutenant Delgado. Le commissaire Martinez avait l'air hors de lui, la veille de sa mort. Je venais lui faire signer un soit-transmis de procédure. Il devait être dix-neuf heures. Je n'ai pas osé le déranger. Je l'entendais crier à travers la porte. Il avait mis le haut-parleur, et son interlocuteur au téléphone ne paraissait pas en état de le calmer.

— Vous avez une idée de la nature de leur conversation ?

— Non, j'ai vaguement entendu le patron dire « ça ne va pas se passer comme ça ! ». Je ne me suis pas attardée…

— Raison de plus pour éplucher ses communications. Votre remarque peut être déterminante.

Caradec s'adressa à Santarelli :

— Vous étiez sûrement le plus proche de lui dans l'équipe. Vous connaissiez sa vie privée ?

— Il était assez réservé et discret sur le sujet. Devant moi, il avait plus ou moins évoqué son divorce l'année dernière. Je pense qu'il n'en était pas affecté, ou s'il l'était, il ne le montrait pas. Je ne lui connaissais pas d'enfant.

La sonnerie de son téléphone amena Caradec à abréger la réunion.

— Allez, on se met au boulot, c'est le moins que l'on puisse faire pour notre collègue. Merci.

Il prit enfin l'appel :

— Oui !

10

Ann et Perkins venaient à peine d'arriver au service lorsqu'ils furent sévèrement cueillis :

— Perkins ! Où étiez-vous ? J'ai cherché à vous joindre. Si votre téléphone ne fonctionne plus, il faut voir avec les moyens logistiques et vous le faire remplacer rapidement ! À moins que vous ne considériez l'usage de cet objet comme facultatif.

— Je suis là, monsieur le directeur !

— L'épouse de Peter James est dans votre bureau. J'ai pu la faire patienter en lui offrant un café. Elle ne veut parler qu'à vous. J'ai eu beau lui expliquer que j'étais votre supérieur, elle n'a rien voulu savoir !

— Les femmes de flics ne sont pas soumises au même respect de l'autorité hiérarchique que leur mari, monsieur.

— Écoutez, je vous laisse avec elle, moi j'ai une réunion avec le Maire de Londres. Vous me raconterez, et n'oubliez pas que le ministère est impatient de nous voir élucider cette affaire. Ça commence à faire des vagues dans la presse et, pire encore, sur les réseaux sociaux !

Au coup d'œil complice d'Ann, Perkins comprit qu'il valait mieux se retrouver en tête à tête avec Laura James sans lui imposer une présence inconnue. Il entra seul dans la pièce. Le visage accablé de cette belle femme se rassura instantanément en voyant l'enquêteur. L'oiseau de malheur qui lui avait annoncé la perte de son mari quelques heures auparavant, allait peut-être l'aider à reprendre pied.

Il savait combien les chances d'élucider un homicide s'amenuisaient dès qu'on tardait à recueillir des éléments nouveaux. Toujours aucun témoin, en dépit de la vaste enquête de voisinage menée tambour battant. Aucune trace exploitable pour orienter sérieusement des pistes de recherche. Seul, l'acte criminel déviant révélé par l'autopsie ! Pouvait-il la rassurer au moins par un sourire ? Laura James avait deviné :

— Vous n'allez pas abandonner, n'est-ce pas ? Je peux vous faire confiance ? Vous m'aviez dit que tout allait être fait pour mettre la main sur l'assassin de mon mari !

Torturée par des questions sans réponse, elle trouva de la compassion sur le visage de Perkins. Mais elle ne voulait pas qu'on lui renvoie sa tristesse. En face d'elle, ce flic ne devait pas servir de miroir à sa souffrance. De l'élite de la police judiciaire, elle attendait une objectivité sans affect, comme une logique factuelle et rassurante basée sur la réalité, pas seulement sur des bons sentiments.

Il le comprit et modifia son mode de communication :

— Asseyez-vous, Laura. Je vous avais dit que je vous tiendrais au courant de la suite de l'enquête. Mais vous avoir dans les pattes n'est pas idéal !

Le ton plus vif du chef de la Criminelle la rassura. Il n'était pas complaisant. Elle s'enfonça dans le fauteuil, pendant qu'il s'installait derrière son bureau sur lequel on avait déposé en son absence le rapport d'autopsie de Peter James. Il le retourna par décence vis-à-vis de Laura :

— J'aimerais avoir plus de temps à vous accorder. Je vous écoute.

— Lorsque vous êtes venu m'annoncer la mort de mon mari, j'ai été dévastée, incapable de réfléchir. Vous m'avez demandé si Peter se sentait menacé. Un soir où il paraissait inquiet devant son ordinateur, je lui ai demandé ce qui lui arrivait. Il a essayé de me rassurer en me disant qu'il était un peu fatigué. J'ai compris qu'il

voulait me ménager. Il venait de copier un
fichier avant d'éteindre l'ordinateur. De son
vivant, je n'aurais jamais cherché à être
indiscrète et à savoir de quoi il s'agissait.
Aujourd'hui, je veux comprendre pourquoi
Peter a été tué.

— Laura, si vous avez cette copie sur
une clef USB, donnez-la-moi, ce sera plus
facile.

Elle fut immédiatement soulagée de
voir que le policier prenait au sérieux son
témoignage.

— La voici !

Perkins installa le périphérique sur son
ordinateur. Un diaporama de photos de
Peter James sortant des locaux de la Metropolitan Police, défila automatiquement.
Il sélectionna l'une d'entre elles. Le jeune
policier en civil était seul au volant d'une
voiture banalisée.

— Ces clichés ont été volés... façon
paparazzis...

Laura le regarda l'air gênée :

— Je me demandais si ce n'était pas une
enquête de la Police des polices.

— La Commission indépendante des
plaintes concernant la police* ! Ils ne l'auraient pas surveillé sans nous en parler. Ils

---

* IPCC équivalent de l'IGPN en France.

ne peuvent ignorer qu'une enquête criminelle est en cours.

— Sauf si le motif de la surveillance était
trop sensible pour l'évoquer avec vous.

— Laura...

Elle lui coupa sèchement la parole :

— Vous oubliez que je suis femme de
flic. Je sais que certaines choses ne doivent
pas être mises sur la place publique parce
que pouvant relever du fameux secret
d'État, parfois prétexte à l'hypocrisie.

— Laura, j'ai un niveau d'habilitation
qui m'autorise à prendre connaissance de
faits relevant du secret Défense. Je vous
assure qu'on m'en aurait parlé.

Les jambes de Laura tremblaient nerveusement. Une forme de paranoïa lui souffla
soudain que ce flic, en face d'elle, pouvait
être de connivence avec ceux qui avaient
surveillé son mari.

— Je dois savoir sur quoi il travaillait.
Vous comprenez, Laura ? Selon ses collègues des Stups, aucune affaire traitée actuel-
lement par ce service, n'aurait pu entraîner
de telles conséquences. S'occupait-il seul
d'un dossier sensible ? Vous n'auriez pas
une idée ? Il a pu se confier à vous !

— Non, ce n'était pas son style de me
parler de son boulot. Vous avez fouillé son

bureau. S'il avait ramené un dossier à la maison, vous l'auriez trouvé !

Sur les clichés, un détail attira l'attention de Perkins. Deux lettres, trop petites pour être vues du premier coup d'œil...

— « K. C. », vous lisez comme moi ?

Elle se pencha sur le bureau pour essayer de lire à son tour.

— Oui, je vois la même chose. Les initiales d'un nom ou d'une organisation ?

— La même inscription sur tous les clichés. On va voir à quoi elles peuvent correspondre.

Il se leva et s'approcha d'elle :

— Laura, vous allez rentrer chez vous. Votre fils a besoin de vous. Je vous tiens au courant.

Elle prit ses deux mains, en le fixant dans les yeux :

— Je n'ai que vous pour réussir à comprendre. Aidez-moi à faire le deuil.

— Faites-moi confiance, laissez-moi travailler.

Perkins la raccompagna jusqu'à la sortie. Il se sentait engagé par sa promesse, mais sans assurance de pouvoir la tenir. Qui avait pu surveiller Peter James ? Et si Laura avait raison ? Et si un service du ministère de l'Intérieur avait la victime dans le collimateur ? Restait à savoir pourquoi. Pris dans ses pensées, il n'avait pas vu Ann sortir de son bureau les clichés à la main.

— Tu as remarqué... ?

— Une sorte de sigle en bas des photos, oui.

— Un groupe d'ultra-gauche, les Killing Cops*.

— Killing Cops ? Jamais entendu parler de ce groupe !

— Mon stage à la *Special Branch* n'aura pas été inutile. Ce groupe a été démantelé en 2015. Sa technique consistait à mettre en ligne les photos de policiers pour griller leurs surveillances auprès des militants. Certains messages postés sur les réseaux sociaux appelaient à l'agression de ces policiers. N'importe quel taré peut prendre ces slogans comme des appels au meurtre.

— Tu dis que ce groupe a été démantelé en 2015. Donc ces clichés sont anciens, ou bien des militants ont réactivé cette organisation.

— Je vais prendre contact avec la *Special Branch*. Ils sauront si les Killing Cops se sont reconstitués.

Perkins se laissa tomber dans son fauteuil et ouvrit le dossier d'autopsie de Peter

---

* « Tuer des Flics »

James, par acquit de conscience. Il savait déjà ce qu'il contenait, au détail près.

— En attendant, demande à la section informatique de voir si ces photos sont encore en ligne.

Ann sourit, consciente qu'un élément allait les mettre sur la bonne piste.

— Bien, chef. Repose-toi un peu, tu as une tête à faire peur !

— Dehors, inspecteur. Et ne revenez pas sans quelque chose à nous mettre sous la dent !

11

Le directeur de la DIPJ de Marseille
n'était pourtant pas homme à perdre son
temps dans des états d'âme. Lorsqu'il pénétra dans son bureau, Caradec le surprit
songeur, presque abattu dans une pièce à
la lumière tamisée. Le combattant qui avait
su le mobiliser quelques heures plus tôt,
s'était métamorphosé en un patron sans
défense. Celui-ci leva tout juste la tête en
entendant le parquet grincer sous les pas
de son nouveau chef de la Brigade criminelle.

— Assieds-toi.

Il le regarda de ses yeux gris perçants.
Il était un peu prématuré de lui demander comment se passait la prise en main
de l'équipe.

— C'est ma faute, je savais que je faisais
une connerie !

Cette phrase prononcée d'une voix
blanche, relevait de la confession doulou-
reuse. Sans confusion possible, il parlait
forcément du drame qui venait de se jouer.
Marciac avait besoin de vider son sac :

— Il y a deux mois à peine, j'ai reçu un coup de fil de Mélanie Duras. Tu l'as vue, hier matin. Elle dirige le service « Police-Justice » du journal *La Provence*. C'était tellement énorme que j'ai cru à une farce. Elle me demandait où en était l'enquête sur les conditions dans lesquelles Philippe Renoir, député écologiste, avait trouvé la mort. Sur le moment, je ne comprenais pas où elle voulait en venir. Il s'agissait apparemment d'un banal accident de la route. Son véhicule roulait sur les hauteurs de Cassis lorsqu'il en a perdu le contrôle. Le pauvre type s'est écrasé sur les rochers, en front de mer. Il roulait trop vite, à en juger l'état de la glissière qui a littéralement éclaté sous le choc.

Marciac s'arrêta de parler, visiblement toujours sous le coup de la révélation de Mélanie Duras. Caradec l'incita à poursuivre :

— Tu ne m'as pas dit en quoi l'appel de Duras était énorme !

— Selon un de ses informateurs, Renoir était suivi par une voiture de sport qui l'aurait dépassé à vive allure. Ce véhicule l'aurait poussé à modifier sa trajectoire. Cette manœuvre dans le virage lui a été fatale. Et elle affirmait que Renoir avait été… assassiné.

— Éliminer un député ! Il faut vraiment un mobile sérieusement important !

— Tu sais, à Marseille, ça s'est déjà fait ! Le statut de certaines victimes n'a pas pesé lourd face à des enjeux d'importance.

— Dans le cas de Renoir, quels auraient-ils été ? Ne me dis pas qu'il faisait la guerre à un promoteur en déclarant un terrain non constructible ! Ce serait d'une banalité à pleurer.

— Non, c'est moins politique que ça. Il aurait eu une liaison avec la femme du directeur de l'Opéra, Jérémie Arnal.

— Je croyais que dans cette ville, on ne chantait que sous la menace.

Caradec s'efforçait de détendre l'atmosphère !

— Arnal est un ami personnel. Même s'il se savait trompé, je ne peux pas croire qu'il ait pu projeter un tel crime. Ce n'est pas l'homme que je connais. Mais je ne suis pas le plus objectif.

— J'ai compris ! Ta proximité t'empêchait de vérifier. Tu as confié l'enquête à Martinez.

Marciac se leva un moment pour se calmer.

— Dans la plus grande discrétion. Même Santarelli n'était pas au courant.

Caradec croisa ses jambes en souriant.

— Alors, si tu penses qu'Arnal n'est pas un criminel, il n'a pas pu non plus régler le compte d'un flic qui enquêtait sur lui ! Pourquoi te sentirais-tu responsable ?

— Parce qu'on n'est jamais sûr de rien, et encore moins en matière criminelle. Combien d'hommes équilibrés ont perdu la raison par passion ?

— Comment vous êtes-vous connus ?

— Je suis un grand amateur d'histoire médiévale, comme lui. On a commencé par échanger sur des forums spécialisés, puis on a participé à des colloques. Enfin, j'ai eu l'idée de monter un club dans la région, où il m'a rejoint.

L'évocation de cette activité parut le détendre. Il se rassit en se calant au fond de son fauteuil.

— On a plus d'une centaine d'adhérents.

— Tout cela n'explique pas la mise en scène très spéciale de la mort de Martinez. Le corps accroché à la façade du commissariat, vidé de son sang et quasiment crucifié la tête en bas.

— Je ne sais pas ! On a pu vouloir réduire Martinez au silence et en même temps m'envoyer un message clair. Une façon de me dire de ne pas fouiller ni dans les poubelles ni dans les archives.

Caradec se leva en sachant que Marciac était arrivé au bout de ce qu'il avait sur le cœur.

— Primo, tu n'es pas responsable, quand bien même ton ami serait derrière tout ça. Secundo, le tueur de Martinez ne sait pas qu'il en faudra plus pour m'impressionner. À Paris, certains l'ont compris à leurs dépens. Cette Mélanie Duras vaut la peine d'être connue, je vais l'inviter à dîner. Elle a sûrement d'autres choses à m'apprendre.

Il ajouta avant de sortir :

— Je ne pensais pas remettre le pied à l'étrier aussi vite, surtout dans de telles conditions. Je n'ai pas le choix, n'est-ce pas, patron ?

12

— John Brian ! Le chef des Killing Cops !

La photo d'un homme brun d'une trentaine d'années, en jean et veste de velours
noir, s'afficha sur le grand écran de la salle
de réunion.

— Physique de gendre idéal, beau gosse,
propre sur lui ! Ce cliché a été pris à la
sortie d'un pub écossais, le Brewdog Soho.

Ann reposa la télécommande du rétro-
projecteur.

— La *Special Branch* l'avait dans le collimateur. Il est le cerveau d'une bande de
geek libertaires. S'ils n'étaient pas dangereux et capables de buter tout ce qui représente l'ordre, ils pourraient ressembler à
des adolescents attardés. À en croire mon
contact au Renseignement, ils ne seraient
jamais passés à l'acte. Devant l'urgence de
la menace islamiste radicale considérée
comme prioritaire, ils ont laissé tomber les
surveillances de ce groupe.

— Une bonne raison pour les reprendre !

Perkins venait de faire irruption dans la
salle. Toutes les têtes se tournèrent vers lui.

— Les photos de Peter James remises par sa femme prouvent qu'il a été surveillé par ce type et par son groupe de marginaux.

Ann projeta les clichés confiés par Laura James. Il s'agissait d'informer tous les membres de la brigade criminelle pour renforcer la performance de l'équipe qui, à tout moment devait connaître l'état d'avancement de l'enquête. Seul Perkins pouvait décider de taire un renseignement ou de ne pas déflorer une piste, pour éviter d'interférer inutilement dans le travail de ses enquêteurs. Comme pour son pressentiment sur l'implication éventuelle de Patterson, le serial killer pervers…

— Comme vous pouvez le voir, chaque photo porte la signature des Killing Cops. Une façon d'authentifier le ciblage d'un policier pour tous les internautes qui auront consulté leur site. La femme de James est formelle, ces surveillances remontent à quelques mois à peine. Le blouson en cuir qu'il porte sur la photo a été acheté seulement en octobre.

Perkins se plaça devant le faisceau lumineux du projecteur :

— Ce qui invalide l'hypothèse de la *Special Branch* selon laquelle les Killing Cops ne seraient plus dans l'action. Autrement dit, on met un maximum de monde sur

John Brian. Je veux être au courant de ses moindres faits et gestes. Dès lors qu'on a logé le groupe, on scanne toutes leurs communications.

— On a un point de chute ?

Anna arrêta la projection pour répondre au chef des interceptions techniques :

— Leur dernière planque se situerait dans un vaste entrepôt près de Brixton, à dix minutes à peine de l'endroit où le corps de James a été abandonné. Les coordonnées de sa géolocalisation sont dans mon bureau à disposition de la première équipe de filature. Il n'y a aucun numéro de rue à cet endroit. D'autres questions ?

Les instructions avaient bien été comprises. Ann poursuivit son retour d'information :

— Nos collègues du Renseignement ont consulté leurs bases de données. Le tatouage retrouvé sur la langue de James, la bougie allumée au centre d'un cercle, leur est totalement inconnu. Les Killing Cops n'ont encore jamais utilisé ce symbole.

— Qui s'est chargé de la signification de ce tatouage ?

Au ton de sa voix, Perkins attendait une réponse rapide.

— Moi, monsieur.

Un jeune enquêteur leva la main.

— Alors, où en sont vos investigations, jeune homme ? Vous avez dû passer les dernières heures dans la poussière des archives, si j'en juge l'état de vos vêtements ?

— Affirmatif, monsieur. Toutes nos documentations sur les symboles n'ont pas été scannées. Vu la quantité de rapports, je peux y passer plusieurs jours.

— Bien, ne vous endormez pas sur la tâche, aussi ingrate soit-elle ! À l'issue, on interrogera la police territoriale. Contrairement au show-business, le crime ne cherche pas forcément la lumière de Londres. Allez, vous savez ce que je pense des réunions qui s'éternisent. Au travail !

La salle se vida en quelques secondes. Ann resta seule avec son chef. Son téléphone vibra.

Elle jeta un coup d'œil sur l'écran. Prendre ou rejeter la communication ? Perplexe, elle hésita :

— Un certain Terminus me demande si j'accepte de parler avec lui sur Snapchat ! Je ne connais personne sous ce pseudo !

— Terminus, le fils de Jupiter.

Soudain, Perkins saisit le bras de sa collègue.

— Un dieu romain qu'on représente toujours amputé de ses bras... Patterson ! C'est sûrement lui !

— Comment il a pu avoir mes coordonnées ?

— En comparaison de ce mec, Machiavel c'est Sœur Teresa ! Accepte la discussion. Je veux savoir ce qu'il veut.

Gagnée par la curiosité, Ann ne se fit pas prier.

Le visage radieux de Patterson apparut sur l'écran. Il se délectait déjà du message qu'il allait délivrer.

— Bonjour, inspecteur, comment allez-vous ? Mais je ne vois pas mon ami, j'espère qu'il va bien !

Il ne fallait pas qu'elle cède à la manœuvre de déstabilisation.

— Je n'ai pas beaucoup de temps à vous consacrer.

— Je remercie tous les jours celui qui a inventé le logiciel de commande vocale, sans lequel je serais coupé du monde.

Patterson leva ses bras amputés des mains.

— Je veux sincèrement collaborer avec vous, mais je sens vos réticences et votre méfiance. C'est bien compréhensible au regard de ce que j'ai pu faire précédemment. J'ai changé. Je veux m'amender en vous aidant. Est-ce condamnable ?

Ann le laissa poursuivre sans l'interrompre.

— Je voudrais vous faire profiter de mon expérience, et vous savez qu'elle est grande…

Il savoura son effet, en se taisant quelques secondes.

— … L'homme que vous recherchez travaille sur la mort. Il ne reconstruit pas la vie, comme j'ai pu le faire. Aucune confusion n'est possible, je ne peux pas me tromper. Croyez-moi, je ne vous ennuierai plus.

Il coupa net la conversation.

Tandis qu'Ann ne parvenait pas à détacher son regard de l'écran éteint, Perkins se contentait de raisonner froidement :

— Ou il ment pour couvrir ses propres turpitudes, et c'est bien notre assassin. Ou il connaît notre objectif, et il essaie de nous orienter sur lui. Pourquoi ? Peut-être qu'il ne supporte pas le fait de ne plus pouvoir assouvir sa vengeance contre James.

— Maintenant, il va falloir décrypter « l'homme qui travaille sur la mort ».

— À mon avis, il sait que l'acharnement sur James s'est fait post mortem, alors que lui modifiait les visages de ses victimes encore vivantes avant de les tuer, pour les faire souffrir.

— Comment a-t-il pu savoir pour les détails de l'autopsie ?

— Les journalistes hantent les couloirs du ministère de la Justice. L'un d'entre eux a pu garder le contact avec ce fêlé. Son interpellation avait défrayé la chronique, plusieurs journaux ont suivi l'affaire et lui ont fait des ponts d'or pour l'interviewer via son avocat.

— Qu'est-ce qu'on fait ?

— Patterson doit avoir un lien, de près ou de loin, avec le meurtre de James.

— On le met sous surveillance.

— C'est le moins que l'on puisse faire.

13

Le Vieux-Port de Marseille avait imprimé
la mémoire de son enfance. Mais il avait
bien changé. S'il restait encore un des quartiers les plus typiques de la ville, tout y avait
été conçu pour attirer le touriste. *Madie la
Galinette*, l'enseigne de ce restaurant évo-
quait quelque chose de sympathique !

— Vous servez encore ?

La mine accueillante, la propriétaire
avait plus l'allure d'une bobo que celle de la
matrone promise par le panneau à l'entrée.

— Bien sûr, le dernier service est à vingt-
deux heures. La nuit, on dort pour être en
forme le lendemain et admirer le lever du
soleil sur la mer.

Caradec lui renvoya son sourire.

— J'imagine que c'est un vrai spectacle !
Devinez ce que j'aimerais manger.

— Une bonne soupe de poissons à la
rouille. Elle est digeste, le chef a le souci
de ménager les estomacs délicats des gens
de passage.

— S'il faut être marseillais depuis plusieurs générations pour déguster une soupe

traditionnelle à cette heure-là, ne vous inquiétez pas. Mon arrière-grand-mère est née dans le quartier du Panier. Elle a commis l'irréparable en se mariant avec un pêcheur breton échoué dans les calanques. Ce mélange détonnant a produit des caractères impossibles. Je n'ai pas échappé à cette malédiction, enfin, surtout pour ceux qui me côtoient !

— En tout cas, au premier abord, vous êtes plutôt sympathique.

— Attendez un moment avant de juger. Je m'installe ici ?

— Ce soir, vous avez l'embarras du choix, ils sont tous devant la télé. Marseille-Paris-Saint-Germain ! Un astéroïde pourrait tomber sur la ville qu'ils ne s'en rendraient même pas compte.

— Je suis plutôt rugby, ne vous inquiétez pas, je ne suivrai pas le match sur mon smartphone.

— Alors, c'est parti pour la soupe de poisson ?

— Avec plaisir.

Son téléphone vibra. Santarelli lui envoyait un SMS :

— « vous voulez venir avec moi pour l'autopsie de Martinez ? »

— « je vais vous épargner ce moment difficile. Je m'en charge ».

— « merci, patron ».

Il apprécia l'ambiance intime de ce restaurant. De vieilles photos de la ville ornaient les murs.

— Voilà, sentez ce fumet !

La patronne posa fièrement l'assiette sur la table :

— Régalez-vous ! La cuisine c'est comme la musique, une affaire d'harmonie.

— Musicienne ?

— J'aurais bien aimé savoir en jouer, mais non. Je me contente de l'écouter. Je ne manque pas un concert donné à l'Opéra. J'ai une place réservée, le directeur et sa femme sont des clients réguliers.

Caradec reposa la cuillère à soupe qu'il s'apprêtait à plonger dans l'assiette fumante.

— Vous connaissez bien Jérémie Arnal ?

— Je ne suis pas une amie proche, mais nous échangeons souvent sur notre passion commune pour la musique. C'est un homme de grande culture, il anime un club d'histoire médiévale.

— Et sa femme ?

— Elle est chargée de la communication de l'Opéra. C'est un couple très fusionnel. Ils ne se quittent quasiment pas. Je peux vous les présenter, si vous voulez.

— Pourquoi pas, je suis prêt à approfondir ma culture musicale.

— Cultivés ou pas, nous sommes tous égaux devant la beauté artistique. À chaque concert, comme si c'était la première fois, j'ai toujours la même émotion à entendre la plainte d'une contrebasse ou les pleurs d'un violon tzigane.

Pendant que cette aimable restauratrice lui faisait la conversation, des clients venaient de pousser la porte. Il reconnut Mélanie Duras accompagnée d'un couple d'âge mûr.

— Je vous laisse, j'ai du monde.

Au moment où elle s'éloignait, Caradec et la journaliste croisèrent leurs regards. Cette dernière fit quelques pas vers lui.

— Bonsoir, commissaire, j'ai l'impression que vous me fuyez. À moins que ce ne soit qu'une illusion !

— Pas le moins du monde. Je viens de débarquer dans cette ville, laissez-moi le temps d'y prendre mes marques avant de faire la tournée du gotha local.

— Demain matin, la « Une » du journal titrera sur la mort de votre collègue. Je ne vous cache pas que ça va faire du bruit.

— C'est le but recherché, n'est-ce pas ? La loi du business !

Ses grands yeux noirs exprimaient une intelligence vive. Elle était sans doute une femme de caractère, ce qui n'était pas pour déplaire à Caradec. Il choisit de lui parler franchement :

— J'ai pratiqué à Paris un grand nombre de vos collègues. Vous sortez des mêmes écoles avec une même stratégie : mettre la pression pour obtenir des informations. Mais avec moi, ça ne marche pas. Personne ne décide à ma place du rythme ou de l'orientation donnée à mes recherches.

— Ce n'est pas mon style. Je suis dans un rapport de confiance avec les enquêteurs.

— La confiance, ça ne se décrète pas. On l'évalue à l'usage.

— Que dois-je faire pour gagner la vôtre ?

— Vous le découvrirez par vous-même. Mais comprenez que je réserve nos résultats à l'autorité judiciaire. Ce qui ne vous empêche pas de me communiquer des informations qui peuvent être utiles.

— Comme ?

— La mort d'un député, par exemple.

Elle jeta un coup d'œil à ses convives déjà attablés.

— Vous êtes dur en affaire ! Mes amis s'impatientent. Je passerai vous voir si mes infos ont le bonheur de vous intéresser !

14

Vue des fenêtres du St-Thomas'Hospital, la Tamise semblait vouloir sortir de son lit. Ses flots boueux transportaient tout ce que le courant avait pu arracher des rives ravinées par les pluies d'hiver. Perkins ne supportait plus les heures passées à battre le pavé dans des conditions climatiques aussi rudes. À sa retraite, il s'installerait dans un petit village du sud-ouest de la France, Montignac-sur-Vézère, qui avait vu naître sa compagne. Petit coin du Périgord noir déjà irrigué par beaucoup de sang anglais !

— Bonjour ! Monsieur... ? interrogea M. Roove, le directeur de l'hôpital.

— Perkins. Police judiciaire.

— En quoi puis-je vous être utile ? Rien de grave, j'espère ?

— Rosana Joyce. Je voudrais savoir si cette jeune femme a bien subi dans votre établissement une interruption de grossesse ?

— Cela relève du secret médical, je ne sais pas...

Perkins s'avança vers le responsable de l'hôpital, l'œil noir.

— Je crois qu'on part sur de mauvaises bases. J'agis dans le cadre d'une enquête criminelle. Ou vous répondez à ma question, ou je fais rappliquer une dizaine de flics pour foutre en vrac vos archives et trouver ce que je cherche.

Le colosse se rapprocha encore tellement près que son interlocuteur pouvait entendre ses dents grincer nerveusement.

— Est-ce que je me fais bien comprendre ?

— Suivez-moi !

Dans un bureau, une femme d'un certain âge saisissait des données sur son ordinateur.

— Wendy, sortez-moi le dossier de…

Il se retourna vers Perkins :

— Comment s'appelle-t-elle déjà ?

— Rosana Joyce.

La secrétaire fit courir ses doigts sur le clavier. Un listing défila sur l'écran jusqu'à la fiche demandée.

— Rosana Joyce. En effet, monsieur, nous l'avons eue comme patiente courant décembre. Elle était enceinte de 21 semaines. Nous étions encore dans le délai limite légal d'interruption de grossesse*.

---

* Délai légal d'IVG en GB : 22 semaines.

Le chef de la Criminelle se frotta le menton en réfléchissant. L'ADN du fœtus, relevé par son légiste préféré, avait permis d'identifier Rosana Joyce fichée pour recel de bijoux volés en 2014. Primo-délinquante, elle avait écopé d'une peine de prison avec sursis.

— Je suppose qu'elle a mentionné sa dernière adresse ?

D'une main précise, la secrétaire cliqua sur le champ « domicile ».

— 12, Jermyn Street près de Piccadilly Circus.

Il sortit de sa poche son vieux calepin et nota l'adresse.

— Que deviennent les fœtus ensuite ?

Le directeur se raidit, surpris par la question.

— Eh bien, nous proposons généralement à la famille l'incinération à notre charge. Mais elle peut vouloir l'inhumer dans un cimetière. Pour ça, elle doit solliciter une autorisation de la Ville.

— Et quel a été le choix de Mme Joyce ?

La secrétaire poursuivit la consultation du fichier :

— C'est bizarre, je n'ai aucune mention sur la destination du fœtus !

Perkins se tourna vers le directeur, inquiet de ce manquement administratif.

— Je ne comprends pas ce défaut d'information. C'est une erreur de notre part. Mme Joyce a sûrement opté pour l'incinération, c'est le choix le plus fréquent.

— Tous les fœtus destinés à la crémation vont-ils directement à l'incinérateur ?

— Je ne vois pas où vous voulez en venir !

— Je vais être plus clair. Combien passent d'abord par la case de la faculté de médecine ?

— Oui, je vois, mais c'est parfaitement légal.

— Ce n'est pas ce que je vous demande ! Le fœtus qui nous intéresse a-t-il pu se retrouver sur une table d'étudiants en médecine ou dans un laboratoire de recherche médicale ?

— Nous ne traçons pas ces destinations. Nous ne conservons que l'accord pour l'incinération. De toute façon, in fine, ces organes finissent par être détruits par le feu.

— Mais vous ne pouvez pas en être certain !

Gêné, son interlocuteur ne chercha pas à nier l'évidence.

— Je peux vous demander en quoi le sort de ce fœtus est si important ?

— Je suis tenu par le secret de l'instruction. Une dernière question, connaissez-

vous la raison qui a conduit cette femme
à se faire avorter ?

— Avant toute intervention, nos patientes
sont prises en charge par des psychologues.
Cela leur permet de bien peser leur décision. Mais nous n'enregistrons pas les données de cet ordre. Cet échange relève de la
sphère privée.

— Je vous remercie.

Perkins se dirigea vers la sortie en prenant son téléphone :

— Ann, c'est moi ! Je sors de l'hôpital.
Visiblement Rosana Joyce a récupéré son
fœtus, en expliquant qu'elle voulait l'inhumer. Comme le registre de l'hôpital ne men-
tionne rien, on peut croire qu'elle a choisi
l'incinération. Complicité ou erreur admi-
nistrative, on ne sait pas. Vérifie, mais elle
n'a sûrement pas fait de demande d'autorisation auprès du London City Hall*. Elle
crèche au 12, Jermyn street à Piccadilly
Circus. Fais-la convoquer au service. Il va
falloir qu'elle nous donne une explication.

— Ok, je m'en occupe. Au fait, tu as le
bonjour de Patterson, il m'a envoyé des
fleurs.

* Mairie de Londres.

15

L'hôpital de la Timone à Marseille n'avait pas le charme de l'Institut médico-légal du quai de la Rapée à Paris, avec sa vue sur la Seine. Dans cet immense bâtiment à l'architecture des années 70, on allait procéder à l'autopsie de Martinez. Sa position de chef de service avait souvent évité à Caradec cette part peu réjouissante de l'enquête. Cette fois-ci, il avait choisi d'y assister par égard pour son prédécesseur et pour épargner ses collaborateurs, encore sous le coup de l'émotion.

La recherche des causes de la mort était fondamentale, mais Caradec espérait trouver une explication aux circonstances étranges de la découverte du corps. Un cadavre saigné comme un animal, suspendu sur la façade d'un commissariat, la tête en bas, ne ressemblait à aucun autre crime déjà connu. L'assassin à l'imagination macabre aurait-il laissé sur la dépouille de sa victime des traces susceptibles de l'identifier ? Ce corps sans vie allait parler, témoigner de ce qui s'était passé.

Pourrait-on capturer un jour le reflet du tueur dans les yeux de sa victime ? Caradec caressait ce rêve fou, en parcourant le dédale de couloirs pour trouver la salle. À travers la porte vitrée, il découvrit le corps de son prédécesseur, étendu sur la table d'opération. Le médecin légiste n'était pas encore sur place lorsqu'il pénétra dans la pièce.

Dans quel pétrin Martinez avait-il pu se fourrer ? La réputation de l'homme, insoupçonnable sur le plan éthique, telle que rapportée par la DIPJ de Marseille, allait-elle voler en éclats ? Mais s'il n'était qu'une victime innocente, tout allait être mis en œuvre pour débusquer son meurtrier, et Caradec s'en faisait le serment.

Au fond, ses propres collègues qui avaient répondu de son intégrité, ne savaient pas grand-chose de sa personnalité. Santarelli lui-même, son adjoint, ne connaissait que quelques éléments de sa vie privée. Rien de plus difficile qu'une victime taiseuse, isolée socialement, pour savoir ce qui avait pu déraper. La visite domiciliaire n'avait rien donné. Dans son univers aseptisé, tout était parfaitement rangé cadrant avec sa vie lisse, sans faille. Restait à examiner ses communications.

Perdu dans ses pensées, il n'avait pas vu le légiste entrer dans la salle.

— Commissaire, bonjour. Docteur Estéban. Bienvenue à Marseille, la ville du crime.

— Bonjour, docteur. Merci. J'aurais préféré prendre mes fonctions dans d'autres circonstances.

— Je comprends. Enquêter sur la mort de son prédécesseur est un exercice unique en son genre à ne souhaiter à personne ! Je vais vous faire grâce de mes commentaires techniques qui seront mentionnés dans mon rapport. Ce qui nous permettra d'aller à l'essentiel. Votre victime a reçu un coup violent porté sur la tête avec une grande précision, de face. M. Martinez a vu son agresseur avant de décéder. Mais regardez maintenant autre chose.

Le médecin légiste tourna délicatement la tête du cadavre afin de lui dégager le cou.

— L'artère carotide a été sectionnée de façon très fine, avec ce qui pourrait être une lame de rasoir ou un scalpel. À cet endroit, sans être pour autant hémophile, n'importe quel individu se vide de son sang en quelques minutes. D'où la peau diaphane que vous avez pu constater.

— Cette incision n'a donc pas été faite post mortem ?

— Non, je le regrette pour lui. Il était bien vivant lorsque cette entaille létale a été pratiquée. Peut-être pas conscient après avoir été assommé, mais vivant. Ce n'est pas à vous que je vais apprendre que l'arrêt du cœur fait chuter la tension de sorte que la pression sanguine n'agit plus. Pour saigner correctement un être vivant, le cœur doit continuer à battre. Dans ce domaine, nous sommes comme les animaux.

— C'est bien l'hémorragie qui est la cause de la mort ?

Estéban leva les yeux vers Caradec, avec un sourire en coin :

— Je vous le confirme. Mais poussons l'examen afin de savoir si elle est la seule.

Il ouvrit le thorax de Martinez avec une dextérité redoutable.

— Je peux vous dire que, sans ce triste destin, votre collègue pouvait vivre encore longtemps. Ces organes sont sains. Il ne devait pas faire d'abus, je me trompe ?

— À vrai dire, docteur, je ne le connaissais pas. Mais le portrait que l'on m'en a fait, correspond.

— En tout cas, il n'y a aucune lésion cardiaque. L'organe a cessé de battre faute d'alimentation, si vous permettez l'expression.

— Continuez, votre effort de vulgarisation facilite ma compréhension.

— Des analyses ultérieures nous confirmeront s'il a été drogué ou empoisonné.

Il poursuivit son examen suivant la procédure en détachant le bloc pharyngo-laryngé.

— Ça, c'est pas banal ! Un tatouage sur la langue.

La surprise amena Caradec à décrire à voix haute ce qu'il voyait :

— Une bougie allumée posée sur ce qui ressemble à une table, le tout au milieu d'un cercle.

— Quelle drôle d'idée ! Se tatouer la langue, je n'avais jamais vu ça. Surtout pour un homme de son âge.

— Je crois plutôt que mon pauvre collègue n'y est pour rien. Ce tatouage est un message.

— Plutôt ésotérique, vous ne pensez pas ? Mais c'est votre partie. Je vous laisse le soin de le décoder. Je vais demander la prise de clichés. Vous pourrez les annexer à la procédure.

— Je voudrais que vous lui rasiez le crâne, s'il vous plaît.

Étonné, le médecin se plia à cette exigence policière inhabituelle.

— Voilà. Vous pensiez y trouver un autre tatouage ?

— Exact. J'ai déjà travaillé sur un homicide au sein d'une secte. Les membres de ce groupe d'adeptes de la métempsychose, s'étaient fait tatouer un symbole à l'arrière du crâne, sur le cuir chevelu.

— Une sorte de signe de reconnaissance qu'ils ne cherchaient pas à montrer. Étrange ! Les bandes d'individus tatoués, en général, portent leurs tatouages de façon ostensible.

— Une manière aussi de maintenir à distance tout étranger au cercle et de provoquer un sentiment de peur. Là, nous sommes devant un cas très différent. Il ne faisait partie d'aucun groupe, nous le saurions. Le tatoueur a cherché à dissimuler son œuvre. Il va falloir faire analyser l'encre utilisée.

— Pas de problème, je vais pratiquer une exérèse, une ablation de l'organe si vous préférez. Il faut aussitôt le placer dans un récipient contenant du formol pour en éviter la putréfaction.

D'un geste précis, Estéban joignit l'acte à la parole.

— Ça va ? Vous tenez le coup ?

Caradec acquiesça d'un hochement de tête avec un sourire crispé.

— Vous devez penser qu'on n'est plus sensible à rien lorsqu'on fait ce métier ? Eh bien, au risque de vous étonner, nous les légistes, nous ne sommes pas dépourvus de sensibilité. Les corps que nous autopsions ne se résument pas à un tas de viande.

— Je veux bien le croire.

— On ne s'acharne pas sans raison. Comme vous, notre seul souci est de confondre celui ou celle qui n'a pas respecté la vie humaine.

Caradec regardait cet homme dont le visage venait d'afficher une certaine gravité. Ces traits n'étaient pas ceux d'un docteur Frankenstein. Un peu rond, le cheveu hirsute, la mine joviale, le regard myope caché derrière d'épaisses lunettes, Estéban n'avait rien d'antipathique. En morphopsychologie élémentaire, il avait le physique de l'emploi, celui du scientifique chargé d'expliquer le processus ayant entraîné la mort. Les victimes à titre posthume, les familles endeuillées, les flics en quête de vérité, la société en général, devaient leur en être reconnaissants.

— Nous avons une façon bien à nous de garder le cap, de ne pas sombrer dans la routine mélancolique. Avoir une passion dévorante, enivrante, une échappatoire vitale à notre métier.

Ses yeux brillants fixaient l'enquêteur, laissant deviner une force intérieure. Une joie de vivre propre à conjurer la mort.

— Moi, c'est la généalogie !

À cet instant, emporté par son enthousiasme, il scruta la réaction de Caradec.

— La recherche des ancêtres ! Pas pour savoir si nous descendons d'une grande lignée, uniquement pour établir un trait d'union entre des moments de vie dispersés dans le temps. Comprendre la transmission d'un patrimoine génétique, culturel et moral. Sans cette mission de passage de relais, la vie n'aurait aucun sens. Les religions tentent de justifier ce qui apparaît comme une absurdité. Ce n'est pas mon cas. La vie, bien courte à l'échelle humaine, prend tout son sens si l'on tient compte du legs des générations et d'un lien hérité qui peut les relier entre elles.

Il s'arrêta brusquement, l'air gêné, puis :

— Excusez-moi, je m'éloigne de notre sujet.

— Pas de problème. Quelque part je vous envie, je n'ai pas vraiment de passion.

— Votre passion à vous, c'est votre métier. Traquer le criminel. Le sentir jusqu'à penser comme lui, vous identifier à lui. Moi je ne peux qu'avoir de la compassion pour les victimes. Mais je n'aurai jamais autant de proximité que vous avec les exécuteurs.

— Vous idéalisez mon rôle.

Estéban retira ses gants et recouvrit le corps d'un drap blanc.

— Comme d'habitude, je vous adresse mon rapport sous deux jours.

— Parfait. Et merci pour votre accueil et votre franchise.

— Commissaire, je sais que je n'ai pas accès à l'enquête, mais j'aimerais être mis au courant si vous élucidez le meurtre de Martinez. Je portais un intérêt tout particulier à votre collègue !

— Je suis soumis au secret de l'instruction. Lisez la presse, ce sera bien le diable s'il n'y a pas quelques fuites !

16

À vol d'oiseau, Brockwell Park n'était qu'à quelques miles de Brixton, le quartier où le corps de James avait été déposé. Dans ce petit coin de paradis, Perkins et sa femme Michèle avaient établi leur petit nid douillet. De la verdure, des arbres centenaires, le vieux flic anglais avait besoin. Il ne fumait pas, mais ses poumons devaient être encrassés par les relents et émanations du crime, inhalés depuis trop d'années.

À la manière d'un ordinateur, son cerveau avait appris à effacer les souvenirs les plus sombres. Pourtant, sa mémoire gardait de façon indélébile les odeurs de chairs décomposées. Un jour qu'il s'était confié sur ces flash-backs olfactifs désagréables, son ami légiste avait donné une explication rationnelle à ce phénomène psychosomatique. Les odeurs, le bruit au même titre que les images, révélaient souvent la partie émergée d'un traumatisme enfoui. Les victimes d'attentats en avaient fait la malheureuse expérience. Le choc émotionnel pouvait faire resurgir tout ce que les sens avaient capté.

Pour garder son équilibre, rien ne valait les moments passés avec sa compagne. Avec elle, il oubliait tout. Elle était sa bouée de sauvetage à la surface d'un océan de désordre mental.

Féminine jusqu'au bout des ongles, le raffinement de Michèle tranchait avec l'apparence rustique de Perkins. Elle se sentait en parfaite sécurité avec lui. La force intérieure de l'homme, sa sensibilité l'avaient séduite dans une période critique de sa vie. Le meurtre de son mari aurait pu la dévaster. Perkins lui avait tendu une main secourable, en l'aidant à faire son deuil.

Un SDF aviné l'avait agressé d'un coup de couteau aveugle et gratuit. Il avait eu le tort de s'arrêter pour lui donner une cigarette. Il était mort pour quelques billets extorqués à un passant anonyme.

Égoïstement, Perkins ne pouvait s'empêcher de penser à l'absurdité de leurs destins communs. Il était redevable à ce mendiant criminel qui lui avait rendu la vie plus lumineuse. Le malheur des uns…, un bonheur découlant d'une tragédie. Cette conscience de marcher sur le fil du rasoir et un sens éprouvé de la fatalité avaient façonné l'humilité de l'enquêteur.

En traversant le parc ce matin-là, il prit le temps de se rendre au boulot. Il avait envie de se mêler à la foule inconsciente de l'horreur qui pouvait se tramer à chaque coin de rue. Il se plaisait à en partager l'insouciance et à en entendre les discussions, les préoccupations tellement éloignées des siennes. Les plantons, à l'entrée du New Scotland Yard, saluèrent l'homme dont la réputation collait à la légende de ce service.

Pour une fois, la réunion de tous les responsables d'unités était annulée. Son patron participait à la cérémonie donnée en mémoire des policiers tombés en service. Il n'avait pas eu le cœur de l'accompagner. Il ne s'en était pas senti le droit tant que le meurtre de James n'était pas élucidé. Le directeur connaissait bien son meilleur limier et l'avait excusé. Le ciel à l'extérieur était aussi sombre que les murs des bâtiments de Westminster. En bon Anglais, Perkins n'attendait pas vraiment le soleil, sachant que son île n'en serait jamais baignée tant que la terre garderait son inclinaison.

— Rosana Joyce est arrivée. Elle est particulièrement énervée ! Elle veut savoir pourquoi on l'a convoquée.

Il se retourna vers Ann qui affichait comme toujours l'impétuosité de son âge.

— Eh bien, on va la faire attendre. Peut-être que cela va l'aider à trouver ses réponses. Que donne la surveillance des Killing Cops ?

— Soit John Brian s'est vraiment calmé, soit il se sait surveillé et il ne bouge pas une oreille. Il passe ses journées au fond du même bar. À croire qu'il en a fait son QG.

— C'est le lieu idéal pour entretenir ses contacts, protégé par le mouvement des clients.

— Pour l'instant, il ne voit personne en particulier. Il passe son temps à écrire.

— Ces mecs des mouvances radicales sont pourtant très grégaires. Il a dû couper les ponts ponctuellement pour une raison qu'on ignore.

— S'il a commandité l'assassinat de James, on peut comprendre qu'il veuille se faire oublier.

— Ann, pour s'acharner sur un corps de cette manière, une passion politique, un engagement idéologique ne suffisent pas, ni même le prétexte de la lutte des classes. Il faut être complètement désaxé. C'est ce qu'il nous faut démontrer, justement. Analyser tout fait anormal dans le comportement de Brian. Et encore une fois, je suis persuadé que si l'on interprète le sens du tatouage, on aura fait un grand pas. Où en est le stagiaire ?

— Toujours rien. Il a consulté une bonne partie des archives. Pas trace de ce symbole, même pas de quelque chose d'approchant.

— Il faut continuer !

— Bon, si on allait rejoindre Mme Joyce ? Elle doit avoir réfléchi à l'heure qu'il est.

La jeune femme attendait, nerveuse, dans la salle d'audition. Elle leur lança un regard noir. Ils prirent place en face d'elle.

— Si vous croyez m'impressionner, c'est raté ! Consultez vos archives, je connais vos techniques !

Ann posa devant elle le dossier qu'elle avait dans les mains.

— Rosana Joyce, vous avez raison sur un point. Vous avez déjà eu affaire à la police, pour recel de vol aggravé en 2015, des faits qui vous ont coûté une peine de prison avec sursis. Vous avez une petite idée de la raison de votre convocation ?

— Vous voulez peut-être me mettre quelque chose sur le dos ! Vous n'avez pas compris ? Je me suis rangée des wagons depuis ma sanction. Vérifiez ! Je travaille.

Ann ouvrit la chemise cartonnée sur la table.

— On a vérifié. Vous êtes employée dans un hôtel de Tottenham. Vous avez pris, récemment, une dizaine de jours de congés. On peut savoir pourquoi ?

Rosana Joyce la dévisagea durement.

— Je ne savais pas qu'il fallait que je vous demande l'autorisation !

— On sait que c'est un avortement qui vous a contrainte à vous arrêter quelques jours. Qu'est-ce vous avez à cacher ?

La jeune femme était de plus en plus stressée.

— J'ai avorté, oui et alors ? C'est interdit ? J'étais dans la durée légale, je n'ai pas enfreint la loi !

Perkins choisit ce moment pour intervenir. Il s'était abstenu jusque-là, laissant son adjointe tenter d'établir une communication entre femmes. Joyce n'avait pas envie de parler du fœtus. Était-elle de mèche avec le tueur de James ? L'idée qu'elle aurait pu elle-même perpétrer ce crime horrible, lui était inconcevable. À moins qu'elle ait voulu se venger de cet homme par la violence la plus extrême. Et si James était le père de cet enfant ? S'il avait fait pression sur elle pour interrompre sa grossesse ?

— Rosana, ce n'est pas ce qui nous intéresse. On veut vous entendre sur ce qu'est devenu le fœtus ?

— Qu'est-ce que j'en sais, moi ! J'ai autorisé l'hôpital à l'incinérer.

— Vous mentez ! Vous n'avez jamais signé le document. Les archives de l'hôpital le confirment.

Il taisait volontairement l'absence de mention sur le registre de l'établissement. Un début de déstabilisation se lut dans ses yeux alors qu'elle cherchait à fuir le regard dur du policier.

— J'ai demandé à mon oncle si le fœtus pouvait être inhumé dans le caveau de famille.

— Bien, donnez-nous ses coordonnées téléphoniques, on va l'appeler de suite.

Il sortit son portable de sa poche intérieure. Elle baissait la tête, convaincue qu'elle ne pouvait plus mentir. Elle murmura des mots à peine audibles :

— Je l'ai vendu !

Prenant conscience de l'énormité de son aveu, elle se mit à hausser le ton une nouvelle fois :

— J'avais besoin d'argent. Vous pouvez comprendre ça ? Je ne suis pas un monstre ! 8 000 livres sterling, ça ne se refuse pas !

Ann devait faire baisser la tension. Elle lui parla d'une voix douce :

— Qui vous a payé cette somme ?

— Un homme que je ne connais pas. Il a débarqué dans ma chambre peu après mon avortement médicamenteux. J'étais très fatiguée. Il a proposé de me payer pour que je dise à l'hôpital que je désirais inhumer le fœtus. Il voulait le récupérer. J'ai accepté, il n'a pas cherché à discuter. Il était déterminé à arriver à ses fins. Ne me demandez pas pourquoi... J'ai supposé que c'était un scientifique dont les travaux ne devaient pas être très légaux. Quelque chose comme le clonage de cellules, on peut tout imaginer !

Elle baissa la tête, effrayée par les révélations qu'elle venait de faire. Ann la força à poursuivre :

— Vous pouvez décrire l'homme qui vous a payée ?

— Physiquement ? Il était brun avec des traits réguliers, 1m75, pas de signes caractéristiques. Mais une chose m'a frappée. Il avait un accent étranger.

— Étranger ? D'après vous, de quelle nationalité ?

— Je dirais... française. Quand il est parti, je l'ai entendu parler tout seul, et il s'exprimait en français.

— Il était seul ?

— Pendant l'entretien, oui. Mais lorsqu'il est parti, par la fenêtre j'ai vu qu'un autre homme l'attendait.

Ann sortit une photo de Patterson du dossier.

— L'homme dehors, c'était lui ?

Rosana Joyce se pencha pour examiner les traits de l'individu sur le cliché.

— Je ne sais pas ! Je l'ai vu d'en haut, c'est difficile à dire.

— Cet homme est amputé des deux mains.

— Non, je me souviendrais d'une telle infirmité.

Perkins reprit l'initiative dans l'interrogatoire :

— Comment vous a-t-il payé ?

— J'ai reçu l'argent dans une enveloppe, par la poste.

— Vous avez conservé l'enveloppe ?

— C'était si important ?

Ann jeta un coup d'œil à Perkins.

— Pour nous, oui !

— Je m'en suis débarrassée. Quant à l'argent, je l'ai joué dans les machines à sous. Je voulais me refaire. J'ai tout perdu.

— Rosana Joyce, il est dix heures, vous êtes placée en garde à vue pour trafic d'organes, qualifié de crime en Angleterre. Vous serez assistée d'un avocat lors de vos prochaines auditions.

Il ouvrit la porte pour laisser entrer un planton chargé de surveiller la jeune femme. Les deux enquêteurs quittèrent la pièce. Ann sonda la perplexité de son chef :

— Qu'est-ce que tu en penses ?

— Elle ne ment pas. Elle n'a pas eu le temps de préparer ses réponses. On visionne les vidéos de l'établissement et on identifie les portables qui ont émis sur le site.

— Ça va faire un sacré boulot.

— On ne le fait que sur une période allant jusqu'à 24 heures après l'avortement.

— Les serial killers agissent seuls en général. Là, on a un deuxième homme.

— Ce n'est pas le degré de violence qui définit le serial killer, mais la multiplication de ses crimes. On n'a qu'un homicide jusqu'à preuve du contraire.

— À moins que Patterson ne corresponde à l'individu aperçu dehors ! Auquel cas, le meurtre de James s'inscrit dans une longue suite sanglante.

Perkins essayait de suivre le raisonnement de son adjointe :

— Alors Patterson aurait envoyé son complice négocier le prix du fœtus. Lui savait l'hôpital truffé de caméras. Il ne voulait pas risquer d'apparaître sur les bandes.

— On va vérifier si Patterson a déjà travaillé dans cet hôpital. Ce qui expliquerait qu'il ait pu être informé à l'avance de l'avortement de Joyce.

Le Superintendent arrivait à son bureau.

— Patterson est toujours le mieux placé sur la liste des suspects. Sa haine pour James suffirait à justifier son acte. Mais pourquoi aurait-il eu besoin de tatouer sa victime et pourquoi aurait-il implanté ce fœtus ?

— Une façon de brouiller les pistes.

— Pour l'instant, on ne néglige pas celle du chirurgien, ce qui ne veut pas dire que l'on n'envisage pas d'autres hypothèses.

— Monsieur !

Ils se retournèrent pour faire face au jeune stagiaire qui arrivait d'un pas rapide dans le couloir.

— Je suis tombé sur un rapport qui signale la découverte de documents avec le même symbole que celui retrouvé dans votre enquête. Les collègues du groupe Stups ont mené une perquisition dans un hôtel du sud de Londres. L'objectif recherché avait quitté les lieux deux jours avant. La chambre avait été sous-louée, ils ne l'ont su que bien plus tard. Dans leurs investigations, ils ont saisi des faux papiers et un document sur lequel était apposé le fameux symbole.

Les yeux de Perkins brillaient d'excitation.

— À quand remonte cette opération ?

— Au 13 décembre 2017.

— Soit deux jours avant qu'on découvre le corps de James !

17

Santarelli conduisait le véhicule du service en silence. Il laissait Caradec admirer les hauteurs de Cassis. Sur cette route sinueuse, le commissaire divisionnaire ne pouvait s'empêcher de penser à l'accident qui avait coûté la vie au député vert, et au lien possible avec la mort de Martinez.

Il se demandait si le directeur de la DIPJ n'avait pas respiré trop longtemps le parfum sulfureux de Marseille, au point de voir le mal partout, à commencer par les querelles de notables. Une mise en scène d'une telle violence pour les yeux d'une femme ? Fallait-il que Jérémie Arnal soit follement amoureux pour prendre le risque d'éliminer successivement son rival et le flic en passe de révéler un nouveau scandale local ?

La fin de Martinez aurait alors été aussi glauque qu'un règlement de compte du milieu. D'ailleurs, difficile d'imaginer le directeur de l'Opéra taillader une artère carotide, cette pratique étant seulement à la portée d'individus familiarisés avec le crime. Dans son cas, le recours aux « professionnels » était trop risqué. Les voyous parlent trop, s'exposant à être trahis par un tonton. L'un d'entre eux aurait-il apposé sa signature sur la langue de son collègue malchanceux ?

Tout occupé à ses spéculations, il venait de se rendre compte que Santarelli s'était garé sur le bas-côté de la route.

— Que se passe-t-il, vous vous êtes perdu ?

— Patron, j'ai besoin de me repérer sur le plan. C'est pas ma faute si cette boîte s'est installée dans un bled paumé ! Je crois rêver ! « Piercing shop » dans un secteur où la moyenne d'âge est supérieure à soixante ans !

— Santarelli, vous vivez dans quel monde ? Aujourd'hui, vous pourriez vous installer chez les Inuits et commercer sur toute la planète. Le monde est connecté !

— Est-ce qu'Internet va nous dire qui a tué votre prédécesseur ?

— Non, mais il va nous donner la liste des clients de cette boîte. Parmi eux se cache peut-être celui qui a acheté l'encre utilisée pour le tatouage. Et là, on ne sera pas loin d'avoir le nom du tueur !

Ils ne mirent que quelques minutes pour arriver sur le parking de « Piercing shop ».

Caradec s'attendait à trouver une atmosphère branchée, destinée à un public de jeunes. Il fut surpris par un décor chaleureux d'« atelier de peintre ». Une femme d'une quarantaine d'années les accueillit, souriante. Santarelli sortit sa carte de police.

— C'est la DPIJ de Marseille, madame. Dans la région vous êtes le seul fournisseur de matériel pour tatoueurs, n'est-ce pas ?

— Effectivement, nous n'avons aucune concurrence locale. Mais l'on peut aussi se fournir sur Internet, vous le savez ? C'est pourquoi, comme vous voyez, je me suis diversifiée dans la peinture pour tous supports, peau, toile...

Santarelli jeta un coup d'œil à Caradec.

— À propos d'Internet, vous avez un fichier clients, je suppose. Si je veux savoir qui vous a récemment acheté cette encre particulière, vous pourriez me le dire ?

Elle s'installa devant son ordinateur de bureau et ouvrit le fichier demandé :

— Les derniers achats de cette nature remontent à quelque temps déjà. Je vends ce produit assez rarement.

— C'est-à-dire ?

— Il y a un peu plus de cinq mois, Patrick Lucas, un client habituel m'a pris pour 500 euros de marchandises. C'est une commande conséquente qui lui permet de travailler pendant au moins six mois. Il est installé à la sortie du village, à quelques centaines de mètres d'ici. Je n'ai pas eu d'autres clients cette année pour cette encre.

— Vous avez été cambriolée, récemment ?

— Oui, il y a deux mois environ, comment le savez-vous ? C'est vrai, vous êtes de la police !

— Qu'est-ce qui a été volé ?

— Des aiguilles, des pinceaux, quelques toiles, et maintenant que vous m'y faites penser, il y avait aussi une bouteille d'encre pour tatouage.

— Nous allons vous transmettre par mail une réquisition judiciaire afin d'obtenir la transmission de votre fichier clients.

De retour dans la voiture, Santarelli saisit son smartphone NEO*.

— Vous voyez, patron, je ne suis pas si ringard que ça !

Caradec le regarda en souriant :

— Je n'en doute pas. Je soulignais juste votre mauvaise foi.

---

* Nouvel Équipement Opérationnel. Terminal mobile doté d'une connexion sécurisée.

— Bon, Mme Dupret qu'on vient de voir, a bien déposé plainte. L'Identité judiciaire était passée dans la boutique. Aucune présence d'ADN, pas de traces papillaires. L'enquête de voisinage n'avait rien donné. Résultat, le dossier a été classé en « vaines recherches ».

Caradec écoutait distraitement. Il se doutait que la personne qui avait ôté la vie à Martinez, était suffisamment avisée pour ne pas laisser de traces exploitables par la police. Le profil du tueur ne pouvait être celui du cambrioleur de base. Il avait consciemment pris un risque, poussé par une raison impérieuse, une pulsion irrésistible obéissant à un mobile. Mais lequel ?

— Ok, Santarelli, si on allait interroger l'homme de l'art ? Même si je l'imagine mal aller cambrioler la boîte située à côté de chez lui, et auprès de laquelle il se fournit depuis des années.

— C'est parti !

Ils arrivèrent à destination. À l'intérieur du cabinet de tatouage, le design du décor tranchait avec la première impression d'ancienneté. Des clients installés sur des fauteuils inclinables, suivaient avec attention les aiguilles qui dessinaient leur peau.

— Messieurs ?

D'un geste conditionné, Santarelli exhiba sa carte professionnelle.

— Patrick Lucas ?

— C'est moi ! Si c'est pour le cambriolage de Mme Dupret, j'ai déjà tout dit à vos collègues. Celui qui a fait ça, n'a pas essayé de me refourguer le matériel. De toute façon, sauf pour l'encre, je ne m'approvisionne qu'à Paris. Je ne me vois pas faire un coup pareil à ma voisine !

Caradec nota que Patrick Lucas ne cherchait pas à fuir le regard des policiers. Il sortit de la poche de son manteau une copie du tatouage incriminé.

— Ça vous dit quelque chose ?

— Oui, j'ai déjà vu ce motif. Une fois par semaine nous donnons des cours à des amateurs venus se familiariser aux techniques de base. En général, ils suggèrent un dessin de leur choix. On a le plus souvent un public jeune. Les motifs sont dans la tendance du moment, très stylisés et assez fouillés. Un des stagiaires m'a montré ce tracé sur un calque. J'ai été surpris par la simplicité du trait. Je me souviens qu'il était assez habile, très précis dans son geste. On utilise des morceaux de cuir pour l'exercice, que l'on jette ensuite. Il a compris très vite que l'on partait du centre vers l'extérieur,

pour pouvoir travailler avec les boursou-
flures naturelles de la peau, après la piqûre.

Caradec préféra ne pas interrompre le
témoignage du jeune homme.

— Il n'était pas très bavard. Une fois
les réponses obtenues, il suivait scrupuleusement mes conseils. Curieusement,
il a voulu mettre des gants en latex pour
toucher nos machines. Probablement pour
ne pas se salir les mains. Il les a enfilés à
la manière d'un professionnel. Comme s'il
travaillait dans un laboratoire ou dans le
milieu médical...

Il sourit un instant.

— ... C'est peut-être un de vos collègues
de la police technique et scientifique ! Il
n'est plus revenu. Un cours lui a suffi. Il a
payé en espèces. Je suis incapable de vous
dire son nom. Mais... je peux savoir pourquoi vous vous intéressez à lui ?

Le chef de la Criminelle esquiva la question :

— Vous pourriez le décrire ?

— Je ne suis pas très physionomiste.
Le look de monsieur-tout-le-monde, 1m70,
la quarantaine. Le physique apparent du
sédentaire.

— Bien, on ne va pas vous retenir plus
longtemps. On vous convoquera à l'Évêché
pour vous entendre sur ce témoignage.

Dans le cas où la personne en question se présenterait à nouveau, voici ma carte.

Le jeune homme les regarda s'éloigner sous la pluie.

18

Perkins s'était souvent demandé si, au bout de quelques années de lutte contre le crime, il n'aurait pas dû se réorienter. Un poste de liaison avec le FBI à New York lui avait bien été proposé, mais il avait décliné cette offre parce qu'il ne se voyait pas demander à Michèle de le suivre. Son boulot de professeur l'épanouissait complètement. Il savait qu'elle faisait déjà beaucoup de sacrifices par amour pour l'homme qui avait surgi dans sa vie en plein drame, et qui était souvent absent. Il ne voulait pas lui en imposer de nouveaux.

En montant les escaliers qui menaient à la Brigade des Stups, Perkins était au moins sûr d'une chose : il n'aurait jamais rejoint ce service. L'insupportable impression de tenter de vider la mer avec un dé à coudre, l'aurait très vite gagné. Sa traque contre le crime ne changerait pas la nature humaine, mais elle permettait aux familles des victimes de faire le deuil.

Cependant, il respectait la mission de ses collègues engagés dans une course contre les réseaux d'économie souterraine. Dans sa partie, l'argent entrait rarement en ligne de compte. Mais les gains colossaux générés par les trafics condamnaient à ses yeux, tout espoir de gagner définitivement la guerre contre la drogue. Il vouait plus que du respect à ses collègues, il enviait une obstination, une innocence peut-être, dont il se savait incapable.

Il poussa la porte du bureau du chef des Stups, Henry Borlow, un Écossais au cuir durci par la litanie des jeunes victimes d'overdose. Il n'avait que quarante ans, mais semblait avoir déjà vécu plusieurs vies. La flamme dans ses yeux ne brûlait plus avec la même intensité depuis qu'il avait ramassé le corps de sa nièce sur un sol parsemé de seringues usagées. Son frère refusait toujours de le voir, lui reprochant de ne pas avoir été capable de sauver son enfant. Pourtant, ce grand blond nourri au haggis* depuis son plus jeune âge, mordait la vie à pleines dents. Une façon de braver le sort, de se donner les moyens de se racheter en interpellant tous ces dealers qui devaient payer pour la mort d'Alice.

Henry était en train de lire un rapport de surveillances quand le pas lourd de Perkins

---

* Panse de brebis farcie.

l'interrompit. Il avait de l'affection pour ce
géant au sourcil dru. Celui qu'il considérait
comme un grand frère dans la famille policière, l'avait sorti d'un sacré guêpier à une
période où il sympathisait beaucoup trop
avec les informateurs.

Un jour, par faiblesse, il avait hébergé un
de ses indics, jeune dealer. Une dette envers
ses fournisseurs avait exposé celui-ci à un
danger réel. De gros bonnets du trafic londonien avaient mis un contrat sur sa tête.
Quelques mois plus tard, pour échapper à
ses poursuivants, ce trafiquant leur avait
expliqué qu'Henry, flic ripou, avait prélevé
l'argent qu'il leur devait. Il ignorait que ses
interlocuteurs étaient placés sur écoute par
la DEA*. Un soupçon alimenta le doute de
sa hiérarchie. Henry n'aurait jamais dû
accueillir chez lui son informateur.

Heureusement pour lui, Perkins avait
déboulé dans le jeu qui condamnait déjà
l'agent des Stups. Il enquêtait sur un homicide dans le quartier de Hackney où le
patron d'un bar mal famé avait succombé
à un tir d'arme automatique en pleine journée. Ses investigations avaient conduit à
un vaste coup de filet dans le milieu de

_____

* Drug Enforcement Administration. Service anti-
stups de la police fédérale américaine.

la nuit. Les commanditaires de ce meurtre avaient été interpellés, ainsi que le jeune dealer responsable d'avoir sali la réputation d'Henry.

Au cours de son audition, celui-ci avait avoué à Perkins qu'il avait menti pour sauver sa peau. Henry fut réhabilité et réintégré dans son service. Il avait compris de lui-même que le traitement des sources n'était pas sans danger.

— Perkins ! Je te croyais mort ! Je t'ai laissé des centaines de messages sur ton répondeur, juste pour faire un bon gueuleton. Mais passer un bon moment avec un Écossais, c'est au-dessus de tes forces !

— Henry, si tu as quelque chose à me dire, viens me voir au service. J'ai horreur de cet appareil qu'on appelle téléphone portable. Je ne consulte jamais ma messagerie.

— Ok, j'ai compris !

— Parle-moi plutôt d'un mec sur lequel tu as travaillé. C'était le 13 décembre, un hôtel minable dans le quartier de Lambeth près de Brixton.

— Tu crois que ça peut avoir un lien avec la mort de Peter ?

— Je ne sais pas encore, mais vous avez trouvé dans sa piaule un document portant le même symbole que celui qui a été tatoué sur la langue de James.

— Un tatouage sur la langue de James ?

— Oui, c'est complètement dingue, mais c'est la seule signature du tueur que nous ayons.

— Nous avions reçu une commission rogatoire d'un magistrat parisien. On devait entendre un trafiquant de cocaïne qui faisait des liaisons entre Paris et Londres. Les écoutes positionnaient David Cooper dans l'hôtel en question. On est arrivé trop tard. Il avait quitté sa planque. Lorsqu'on a perquisitionné les lieux, on ne savait pas que la chambre avait été sous-louée.

— Tu es formel ?

— Catégorique. Cooper est tombé récemment pour vol de voitures. Après un banal contrôle routier et une course poursuite, il s'est fait serrer. Il a été placé en détention provisoire. On l'a extrait de prison pour l'entendre dans le cadre de la commission rogatoire. Il a déclaré que les documents ne pouvaient pas lui appartenir. Tu les as vus ? Des plans de Londres dont un, plus détaillé, de Fulham.

— Le quartier de Peter James !

— C'est vrai, mais Cooper est né à Londres et y vit depuis toujours. Pour lui personnellement, ces plans n'étaient d'aucune utilité.

— Si je comprends bien, ils appartiendraient donc au type qui aurait sous-loué sa chambre ?

— Exact.

— Il t'a donné un signalement du gars ?

— Pas vraiment, il se souvient seulement qu'il avait un accent étranger.

— Je dois l'entendre comme témoin. Dans quelle prison est-il détenu ?

— À la Maison d'arrêt Royale de Brixton.

— Merci, Henry. Et pour le repas, quand tu veux après cette foutue enquête ! Pour l'instant, je n'ai pas la tête à casser la croûte, je casserais plutôt l'ambiance !

— Pas de souci. Peter nous avait rejoints depuis peu, mais il faisait déjà partie de notre famille. J'espère que tu coinceras le salaud qui lui a fait ça !

En redescendant les escaliers pour rejoindre l'étage de la Criminelle, Perkins eut la conviction que l'homme qu'il recherchait était français. Était-il résident au Royaume-Uni ? À moins qu'il ne soit venu de France juste pour accomplir son œuvre. Dans cette hypothèse, le criminel devait avoir un sacré contentieux à régler pour traverser la Manche et planifier une élimination dans les moindres détails. L'intéressé avait pris le soin de sous-louer une chambre d'hôtel pour éviter de laisser des indices sur son identité. Et il avait proposé le deal au voyou en cavale...

Il devenait urgent d'interroger David Cooper. Depuis l'audition de Rosana Joyce, on savait qu'un individu à l'accent français avait échangé son fœtus contre de l'argent, fœtus que seule une main experte en chirurgie avait pu insérer dans le ventre de James. Encore une preuve de préméditation ! Il était de plus en plus vraisemblable que Peter James ait volontairement été ciblé, et que le criminel ne s'en soit pas pris à un flic au hasard. Et s'il avait déjà tué en France avec le même modus operandi ? Qu'avait bien pu faire James pour nourrir une telle haine ?

Il fallait solliciter Interpol. Avec un peu de chance la consultation des fichiers pouvait « matcher ». Venant de France, l'assassin avait sûrement été filmé à son arrivée sur le territoire britannique. Mais avec un signalement aussi mince, il était illusoire de sensibiliser la Police aux frontières.

— Alors ?

Il sursauta en entendant la voix d'Ann.

— Intéressant.

— Intéressant ! C'est tout ce que tu as à me dire ?

Perkins sourit en voyant le sourcil froncé de la jeune femme, particulièrement nerveuse. Il adorait titiller son impatience, trait de caractère qu'il appréciait le plus chez elle. Sa faculté à s'accrocher, à ne jamais abandonner tant qu'il y avait un infime espoir d'élucider une enquête.

Quelque part, les circonstances de la vie lui avaient été favorables en lui imposant ce bout de femme qui osait l'apostropher, là où la plupart des flics de Londres se seraient abstenus, impressionnés par son autorité. Au début, Perkins n'avait pas vu d'un très bon œil l'arrivée de cette adjointe. Pas parce qu'elle était une femme. Il convenait que celles-ci avaient bien leur place dans la police judiciaire, sachant souvent faire preuve d'une intuition décisive. Elles apportaient aussi une approche utile et complémentaire à la perception masculine des rapports humains.

Il ne comptait plus le nombre de fois où Ann avait orienté positivement le sens d'une enquête, en s'opposant à lui et en réussissant à lui faire relativiser ses certitudes. Peu de monde dans le landerneau policier, osait le défier comme elle le faisait en se mettant physiquement sur sa route, comme elle venait de le faire.

— Alors ?

Il la prit gentiment par le bras en poursuivant sa marche :

— Alors, appelle le *Crown Prosecution Service**. Il faut extraire le dealer, David Cooper, de la prison de Brixton pour l'entendre. Il a croisé le propriétaire du document portant le symbole. Un étranger !

— Peut-être un Français alors ! Probablement le type qui s'est procuré le fœtus !

— Il faut l'établir.

Ann souriait. C'était leur premier recoupement solide depuis plusieurs jours.

— On continue toujours les surveillances de Patterson et de John Brian, le chef des Killing Cops ?

Elle s'interrogeait avec la même force de persuasion que son chef.

— Oui ! Si l'on en croit Rosana Joyce, on sait que le Français n'a pas agi seul. Reste encore à l'identifier, et à définir le rôle de chacun. Rien ne prouve qu'il ait directement tué James.

Ann s'installa dans un fauteuil.

— L'examen des bandes vidéos de l'hôpital n'a rien donné. Il s'est débrouillé pour éviter l'angle des caméras. Aucun résultat pour les portables non plus. Ceux qui ont émis appartenaient à du personnel hospitalier.

---

* Service chargé des poursuites judiciaires en GB (Procureur de la Couronne)

Perkins avait toujours le dossier de l'autopsie de James sur son bureau. Il le reprit une nouvelle fois, comme si ce geste l'aidait à réfléchir.

— Nous avons affaire à quelqu'un de particulièrement méfiant.

— Comme s'il avait su que nous pouvions remonter à l'ADN du fœtus !

— N'oublie pas les commentaires de mon ami légiste : « un professionnel de l'acte chirurgical ». Je ne sais pas si ce Français est bien l'homme qu'on recherche. Ce qui est sûr, c'est que celui qui a ouvert les entrailles de notre collègue est doté d'une expérience médicale certaine.

19

Une odeur âcre de bière brassée mêlée aux senteurs de vieux cuir, flottait dans ce pub de Londres à la réputation sulfureuse. Les supporters des London Harlequins avaient quitté les lieux, mais les murs bruissaient encore de leurs clameurs alcoolisées. Deux hommes en discussion au fond du bar ne ressemblaient en rien aux rescapés des nuits d'orgie rugbystique.

— John, qu'est-ce qu'on attend ? Ils vont nous lâcher !

Un jeune homme roux grattait nerveusement la table en bois verni avec sa clef de voiture.

— Les discours, ça va un temps ! Ils veulent passer à l'action...

Son vis-à-vis, plutôt beau gosse, fixait l'écume blanche dans son verre.

— ... John, depuis notre dernier coup, je ne te reconnais plus. Qu'est-ce qu'il y a ? Les flics, ces enfoirés, sont toujours nos ennemis. Hier, on a failli manger chaud ! Ils ont localisé notre dernière planque. Heureusement qu'on s'était tiré la veille !

John Brian répliqua avec autorité :

— Grâce à qui ? Si je n'avais pas ce flic ripou dans la main, vous seriez dans leurs geôles en ce moment. J'ai donné des ordres. On ne bouge pas tant qu'ils sont sur la brèche.

— Je pige pas !

— Il faut que je te fasse un dessin ? Tu crois que ça leur a fait plaisir de trouver leur collègue crevé à Brixton ? Ils vont nous mettre la pression !

— Depuis que tu fréquentes ce skin de Paris, tu as changé. Avant, une perquisition ne t'aurait jamais fait peur.

— Écoute-moi, abruti, la peur n'est pas dans notre camp mais dans le leur, parce que notre groupe est devenu une menace pour eux.

Il se tut, le temps que la jeune serveuse pose sur la table de nouvelles chopes.

— Derrière les barreaux, tout ce qu'on a fait jusque-là, n'aurait servi à rien. Quant à ma stratégie de rapprochement avec les Français et bientôt les Belges, elle est incontournable. L'Europe des flics est une réalité. En face, il faut leur opposer une guerre solidaire, une européenne de la lutte.

— Qu'est-ce que ça va changer ?

— Beaucoup de choses. Si chaque groupe frappe dans le pays de l'autre, on trouble le jeu. On tape à Paris, les skins frappent à Londres. On brouille les pistes. On met le bordel dans leurs services judiciaires.

En face de John Brian, Tom Hopkins baissa la tête, peu convaincu.

— Quoi ? C'est pas clair, ce que je dis ? Tu es mon adjoint. Tu m'as toujours fait confiance. Pourquoi tu doutes maintenant ?

— On ne va plus rien contrôler ! Et si leurs opérations merdent, les flics ne feront pas la différence. Ils viendront nous chercher, on paiera pour ce qu'on n'a pas décidé !

John se redressa en collant son dos contre la banquette. Une musique de Heavy Metal s'échappait des enceintes.

— Si on se coordonne, on ne risque rien. J'ai passé un deal avec le mec que tu me reproches de voir. Par sécurité, nous serons les seuls à connaître les objectifs ciblés par les autres. Même à toi je ne peux rien dire. C'est une question de survie pour tout le monde.

— C'est pour ça que tu nous demandes de nous faire oublier un moment ? Le flic de Brixton, c'était...

— Je ne sais pas et si je savais je ne pourrais rien te dire ! Le contact avec le

Français a échoué. Je ne peux pas faire un pas dans la rue sans avoir les *cops* sur le dos.

John Brian jeta un coup d'œil à l'extérieur.

— Allez, on bouge !

— Où on va ?

— On s'arrache, je te dis.

Ils sortirent pour rejoindre une berline sportive garée quelques mètres plus haut. Brian s'installa au volant et démarra en trombe.

— Tu as gagné au loto ?

Sûr de lui, il regarda dans le rétroviseur s'il n'était pas suivi. Il roula très vite vers Tower Bridge.

— On a un mécène.

— Encore ton Français ?

— Non, un gars bien de chez nous !

En quelques minutes, ils atteignirent le quartier des docks. Une voie desservait de nombreux entrepôts. Au bout d'une route défoncée menant à une usine désaffectée, la berline pila devant une énorme porte coulissante.

— Ouvre et referme derrière nous.

Le jeune homme s'exécuta sans discuter. La voiture pénétra dans l'enceinte et avança jusqu'au centre d'une vaste plate-forme en béton. John Brian sortit du véhicule, rejoint par son comparse. À la vue des grandes plaques de métal et des moteurs à turbines jonchant le sol, ce dernier comprit que le site servait à la construction de bateaux. Le bruit d'une poulie coulissant sur un axe rouillé les fit se retourner. Un projecteur éclaira soudain une scène peu banale. Un homme leur souriait, assis sur une chaise suspendue à des chaînes. Il avançait au rythme d'un palan qui n'avait pas servi depuis longtemps. La structure mécanique stoppa à quelques mètres d'eux pour laisser l'homme descendre. Celui-ci tendit son bras vers Tom Hopkins.

— Patterson.

Le jeune desserra ses doigts d'une arme cachée dans sa poche, et prit la main que lui tendait cet homme au sourire énigmatique. Il eut un mouvement de recul en voyant qu'il allait serrer une prothèse. Patterson s'en aperçut et leva ses deux bras :

— Ce n'est rien ! Un accident idiot ! Le danger dans une scierie, ce ne sont pas les troncs d'arbre mais les outils dont on se sert pour les débiter. Plus dangereux que vos ordinateurs, n'est-ce pas ?

Tom était mal à l'aise devant ce personnage qu'il ne connaissait pas. John Brian essaya de dissiper le trouble :

— Patterson est prêt à nous aider.

— Ah bon, et comment dans son état ?

— En finançant les besoins de l'organisation.

— Et qui nous garantit qu'il ne travaille pas pour les flics ?

Patterson s'avança. Le jeune se crispa à nouveau sur son revolver.

— Vous n'étiez pas encore nés que je mettais à rude épreuve les flics, comme vous dites. Et sûrement plus durement qu'avec vos blogs enflammés ! Le fric, c'est le nerf de la guerre, jeune homme. Mais pour le comprendre, il faut un cerveau.

Tom Hopkins fit un pas vers lui, menaçant. John Brian le tira par le bras.

— Je t'ai dit qu'il était avec nous !

Patterson n'avait pas bougé un muscle. Il arborait toujours son rictus ironique.

— Laissez, John. Nous avons plus urgent.

— Perkins ?

— Pas encore. Mais ça viendra.

20

La femme blonde qui se tenait assise dans le bureau de Caradec, croisait ses jambes nerveusement. Son allure et sa tenue laissaient supposer qu'elle ne fréquentait pas beaucoup les salles d'audition de la police judiciaire. Elle avait posé son sac à main de marque sur le vieux parquet. Ses talons hauts claquaient sur le bois de chêne à chaque mouvement de ses jambes. Le commissaire entra d'un pas décidé et prit place dans son fauteuil.

— Bonjour, madame Arnal. Merci d'avoir répondu aussi rapidement à ma demande d'entretien. J'ai quelques questions à vous poser.

— Si je peux répondre, pas de problème. Mais je ne vois pas comment je pourrais vous être utile.

— Vous avez sûrement entendu parler de la mort du commissaire Martinez ?

— Comme tous les Marseillais, je lis le journal local. Je ne pensais pas qu'un policier pouvait mourir de cette façon. Je veux dire victime d'un meurtre. Mais

rien, aujourd'hui, ne peut plus nous sur-
prendre… !

— Vous le connaissiez ?

— Je l'ai croisé à une ou deux reprises à
l'Opéra. Mon mari me l'avait présenté. Ils
s'étaient rencontrés à l'occasion des vœux
du Maire de Marseille.

— Depuis quand êtes-vous mariée ?

— Sept ans déjà.

— Comment va votre couple, madame
Arnal ?

Elle lui lança un regard noir.

— Excusez-moi, mais je ne vois pas le
rapport avec votre enquête !

— Répondez-moi, s'il vous plaît.

— Si vous voulez savoir si j'aime encore
mon mari, au risque peut-être de vous déce-
voir, c'est effectivement toujours le cas.

— Madame Arnal, je vais être direct.
Avez-vous eu une liaison avec le député
Philippe Renoir ?

— Vous ne pensez quand même pas que
je l'ai tué ? Dois-je appeler mon avocat ?

Caradec devait faire retomber la tension.
Il se leva pour s'asseoir à côté de la femme
inquiète et sur la défensive.

— Madame, ce ne sera pas nécessaire.
Pour l'instant, sauf élément nouveau, vous
n'êtes pas sur la liste des suspects. Et si
c'était le cas, je vous entendrais sous le

régime de l'audition libre avec la possibilité d'une garde à vue à l'issue. Répondez-moi, s'il vous plaît !

— C'est vrai, nous avons eu une liaison en début d'année. Je me sentais seule, mon mari est souvent en déplacement à l'étranger, notamment à Londres. Nous avons des échanges réguliers avec l'Opéra britannique. Philippe venait de perdre sa femme, il traversait une période difficile. Je pense que nous avions besoin tous les deux d'une écoute, de combler un vide.

En parlant, elle observait les réactions de Caradec qui restait impassible. Elle voulait savoir si le policier la jugeait, elle, la femme de notable, infidèle.

— Votre époux était au courant ?

— Non, et je souhaite que cela reste ainsi. Cette histoire était sans lendemain. Nous avons profité de l'instant présent sans nous projeter dans un avenir qui nous était interdit. Il savait que je n'avais pas l'intention de quitter mon mari.

— Votre mari ou votre activité professionnelle à l'Opéra ?

— Commissaire, je suis sincère en vous disant que j'ai toujours du sentiment pour Jérémie. Il m'apporte une fantaisie, une légèreté artistique si rare que je n'ai pas la chance d'avoir naturellement.

Elle observa un silence en regardant au loin...

— Dans une autre vie, peut-être...

— Madame Arnal, votre conjoint est-il violent ?

— Avec moi, jamais. Après..., c'est un méridional, il a le sang chaud. Il peut être violent verbalement, pas physiquement. Pourquoi cette question ? Vous pensez qu'il aurait été capable de...

— C'est une éventualité qu'on ne peut écarter. Marseille est un village. Votre liaison a pu lui être rapportée.

— Non, une femme ressent ces choses. Je le connais, il m'aurait très vite demandé une explication.

Caradec se leva pour conclure l'entretien :

— Bien. Pour l'instant, madame, nous allons en rester là. Je vais vous demander de rester discrète sur votre visite dans nos locaux.

Elle sourit en se levant à son tour pour quitter les lieux.

— Ne vous inquiétez pas, je n'ai pas l'intention d'en parler à mon mari.

Au moment où elle sortait du bureau, Santarelli manqua de la percuter. Caradec pensait encore à l'échange qu'il venait d'avoir lorsque son adjoint fit une des irruptions fracassantes dont il avait le secret.

— Commissaire, bingo !

Il regardait son chef de service, excité au point d'en oublier de dire l'essentiel. Il attendait une réponse qui ne venait pas.

— Ça ne vous fait rien ? C'est pourtant fondamental !

— Si vous vous contentiez de me dire ce qui est fondamental pour notre enquête !

Santarelli se laissa tomber dans un fauteuil :

— On vient de recevoir un message d'Interpol. Scotland Yard a découvert un tatouage identique au nôtre. Mais ce n'est pas le plus important !

— Santarelli, quand vous aurez cessé de me faire attendre !

— Excusez-moi, mais j'en suis encore tout retourné. Il n'y a pas de hasard possible...

— Alors !

— Comme dans notre affaire, le tatouage a été découvert sur la langue d'un flic assassiné à Londres.

— Il y a combien de temps ?

— Trois jours avant l'assassinat de Martinez !

Caradec se leva et fit quelques pas dans le bureau pour réfléchir.

— C'est pas énorme ? Au final, nous avons affaire à un serial killer qui s'en prend à des policiers ! Je vous avoue que c'est la première fois que je suis confronté à une enquête de ce type.

Le chef de la Brigade criminelle n'entendait plus Santarelli. Les mots prononcés par Mme Arnal prenaient d'un coup une résonnance particulière : « Mon mari est souvent en déplacement à Londres. Nous avons des échanges avec l'Opéra britannique ». Que le directeur de l'Opéra ait tué Martinez pour l'empêcher de découvrir sa responsabilité dans la mort du député Renoir, pouvait se concevoir. Qu'il l'ait mutilé pour faire croire au meurtre d'un malade mental, aussi. Mais pourquoi avait-il eu besoin d'éliminer un policier londonien ? Pourrait-il avoir perdu l'esprit au point de vouer une haine à tout ce qui représentait les forces de l'ordre ? Difficile à croire. Mais cette fois-ci, cet homme prenait la tête sur la liste des suspects potentiels.

— Monsieur !

Santarelli le sortit de ses réflexions :

— Monsieur, il va falloir répondre à Interpol !

— Bien sûr. Vous établissez un télex avec les circonstances de la découverte du tatouage, et vous demandez en retour qu'on

nous transmette tous les éléments recueil-
lis par les Anglais. Évidemment, ce télex
sera envoyé à la DCPJ qui fera transiter
vers Interpol. Regardez si Arnal est connu
au fichier Canonge, ce dont je doute. Si
c'est le cas, lors de l'audition du tatoueur
Patrick Lucas, vous lui présenterez une
planche photos avec le cliché d'Arnal. On
le place sur écoute et on demande la transmission des fadets*.

— On l'interpelle ?

— Pas encore. Il reste des éléments à
vérifier. Il ne faut pas se planter. Quand on
incrimine un notable de la ville, il faut être
sûr de son coup ! Les Anglais ont peut-être
des vidéos qui pourraient le confondre. Je
me charge d'informer la juge d'instruction.
Où en est-on de l'exploitation des communications de Martinez ?

— On les examine en listant tous ses
contacts. On vous fera le point dans
quelques heures.

La sonnerie du téléphone de Caradec
abrégea la mise au point entre les deux
hommes.

— Bonjour, madame la juge, justement
j'allais vous appeler.

---

* Factures détaillées de l'activité d'une ligne téléphonique

21

La prison de Brixton n'était pas un fleuron de la modernité. Des rapports récents attiraient l'attention des autorités sur la vétusté des lieux, avec les problèmes récurrents d'hygiène et de sécurité. Sur ce plan, elle ne se distinguait pas vraiment d'autres sites comparables en Europe. En suivant le chef des surveillants qui le menait à David Cooper, Perkins savait que l'univers carcéral était souvent le reflet de l'intérêt accordé par une société à ses prisonniers. Le rôle du policier consistait plutôt à remplir les geôles, à mettre au ban un maximum de criminels, pas à se poser la question de savoir dans quelles conditions ils seraient détenus, ni même à se demander si la prison pouvait contribuer un jour à la réinsertion dans la société.

Il fut introduit dans un parloir aux portes sécurisées, réservé à l'administration pénitentiaire. Un jeune assis sur une chaise attendait. Un avocat se tenait à ses côtés. Perkins déplia un document sur la table et il activa un enregistreur extrait de la poche de son imperméable.

— Monsieur Cooper, je suis le Superintendent Perkins de Scotland Yard, et nous sommes le 15 janvier 2018, il est 16 heures. J'ai une autorisation dûment signée du *Crown Prosecution Service* qui m'autorise à vous interroger sur un point précis. Lorsque vous avez été interpellé, vous avez expliqué que la chambre d'hôtel que vous occupiez, avait été sous-louée à quelqu'un d'autre. Du coup, les documents trouvés en perquisition ne vous appartenaient pas. Vous reconnaissez ce que je viens de dire ?

Le jeune confirma d'un hochement de tête.

— Je veux vous entendre.

— Oui.

— Bien. Pour sous-louer une chambre, il faut un accord préalable. Vous connaissiez l'homme avec lequel vous avez traité ?

David Cooper jeta un coup d'œil à son avocat qui l'autorisa à s'exprimer.

— Je l'avais aperçu autour de cet hôtel, il traînait dans les environs depuis un moment. Je me doutais que j'étais surveillé par les Stups. Je sortais de ma chambre quand j'ai vu un flic parler au proprio. Je suis sorti et l'homme qui rôdait dans la rue m'a accosté. Il m'a proposé de sous-louer la chambre en me payant le double du loyer. J'ai accepté en pensant que ça pouvait brouiller les pistes. De toute façon, j'avais l'intention de partir. Il fallait que je me mette au vert.

David Cooper avait compris que ce témoignage pouvait le disculper de quelque chose de grave. Les documents retrouvés semblaient importants pour l'enquêteur qui s'était déplacé jusqu'à lui. De son côté, Perkins le pensait assez intelligent pour inventer de toutes pièces cette histoire et nier la détention de ces documents. Dans cette version des faits, le principal élément intéressant était la précision sur l'origine étrangère du sous-locataire. Cet indice était à rapprocher du témoignage de Rosana Joyce évoquant un accent français.

— Vous pourriez décrire cet homme ?

— J'ai déjà tout dit à vos collègues !

— Mais je voudrais l'entendre.

— Je me souviens d'un type pas très grand. Il portait des lunettes de soleil et un bonnet. Ce qui est sûr, c'est qu'il s'exprimait en anglais avec un accent étranger.

— Comment il vous a payé ?

— En liquide. Il avait une enveloppe avec des billets neufs.

— Vous l'avez revu ensuite ?

— Jusqu'au jour où j'ai été interpellé, je n'ai plus remis les pieds dans cet hôtel.

— Il est 16 h 30, fin de l'entretien avec David Cooper.

Perkins arrêta l'enregistrement, se leva et s'adressa à l'avocat resté silencieux tout au long de l'entretien :

— Merci, maître, pour votre collaboration.

Il fit un signe de tête au surveillant pour que David Cooper réintègre sa cellule. Il quitta la prison de Brixton au moment où le soleil prenait l'avantage sur la couche nuageuse. De la main, il fit signe à un taxi de s'arrêter.

— New Scotland Yard, s'il vous plaît.

Le puzzle commençait à prendre forme dans son esprit, même s'il manquait encore de nombreuses pièces. Il lui paraissait évident que le tueur de Peter James, un Français vraisemblablement, avait élaboré une stratégie assez sophistiquée pour arriver à ses fins et brouiller les pistes.

Il savait aussi que Patterson avait joué un rôle dans la mise en œuvre de ce plan. Était-il le cerveau de cette mécanique bien huilée ? Si c'était le cas, pourquoi avait-il eu recours à un Français pour réserver à James un sort aussi abject, à la mesure de son aversion pour le flic responsable de sa localisation ? Patterson, passé maître dans l'horreur, n'avait besoin d'aucune aide subalterne dans ce domaine.

À bien y réfléchir, l'amputation de ses mains l'obligeait à déléguer la profanation des corps à un tiers. Réduit à guider oralement le scalpel de son partenaire ! Le paramètre d'un complice brouillait les cartes d'un jeu que lui seul distribuait.

Il y avait donc deux protagonistes dont un restait à identifier, et un mobile qui tenait à la qualité de flic de la victime. On ne connaissait toujours pas la signification du motif gravé dans la chair du défunt. Jusqu'à preuve du contraire, Patterson alimentait son plaisir sadique en s'acharnant sur les organes de ses cadavres, sans recours à la symbolique. Le Français aurait-il pu suggérer l'idée de ce tatouage ? Ce dessin indélébile cacherait-il un message de l'autre côté de la Manche ?

La pluie avait recommencé à tomber lorsque le taxi stoppa devant les locaux de la Metropolitan Police. Il rejoignit la salle de réunion où Ann avait rassemblé tout le monde pour un briefing.

Perkins apprécia une fois de plus l'engagement de son adjointe, loin d'être gênée par son absence. Si lui incarnait la section criminelle en raison de sa personnalité atypique et de son ancienneté dans la maison, Ann représentait l'évolution, la transition vers une ère plus moderne, faisant la part belle aux nouvelles technologies.

En la regardant installée au centre de la salle, il envisagea avec sérénité le passage du flambeau. Mais l'heure n'était pas encore à sa mise au rancart social. Le vieux crocodile débordait toujours de vitalité et il n'avait pas eu le temps de révéler à son adjointe toutes les ficelles du métier. Elle n'était pas non plus pressée de prendre sa place.

— Je vous ai réunis parce que nous venons de recueillir deux éléments capitaux dans notre enquête. Dans un premier temps, nous avions consulté les enregistrements vidéos de l'hôpital où Rosana Joyce venait de se faire avorter. Il s'agissait, je vous le rappelle, d'identifier l'homme qui avait proposé une forte somme d'argent contre la remise du fœtus implanté dans le ventre de notre collègue. Cet individu à l'accent français, s'était débrouillé pour éviter d'être filmé. Nous avons donc élargi nos recherches aux rues avoisinantes. À cette heure-là, le secteur étant particulièrement fréquenté, vous devinez le nombre d'hommes que les vidéos ont enregistrés. Des données inexploitables en l'état.

Un léger brouhaha parcourut l'assistance.
Ann attendit que les réactions cessent pour
reprendre son discours :

— Au cours de nos investigations, nous
nous sommes intéressés à une perquisition
conduite dans un hôtel par la brigade des
Stups. Pour mémoire, un document a été
saisi reproduisant le symbole que voici,
identique à celui tatoué sur la langue de
James.

Sur l'écran, l'image du chandelier allumé
s'incrusta en noir sur fond blanc.

— Ce document appartiendrait à un
individu a priori étranger qui avait sous-
loué la chambre du dealer David Cooper.
L'hôtel, assez vétuste, n'est pas équipé de
caméras. Là encore, grâce à l'implanta-
tion de la vidéoprotection urbaine, il a été
possible de sélectionner les hommes seuls
autour du site. Nos techniciens ont alors
croisé les documents filmés des environne-
ments de l'hôpital et de l'hôtel, grâce au
logiciel de reconnaissance faciale. L'exercice a été concluant. Voici le même homme
aperçu sur les deux sites.

Perkins se raidit en attendant la projection du cliché sur l'écran. Un homme de
taille moyenne, au visage imberbe, apparut
vêtu d'un blouson de cuir noir sur un jean
noir. Il portait des gants de cuir marron,

un sac à dos gris clair, une casquette ainsi que des lunettes de soleil. L'effet de surprise passé, Ann reprit sa présentation :

— Comme vous le voyez, l'homme est méfiant, et son visage masqué en partie par la casquette et les lunettes, ne permet pas de l'identifier formellement. Ce qui est sûr, c'est que cet individu est bien le Français qui a acheté le fœtus et qui a laissé le document avec le symbole dans la chambre. Du coup, tous ces éléments en font notre objectif principal. Nous allons diffuser largement ces clichés, y compris aux frontières.

Ann venait de repérer Perkins au fond de la salle. Elle s'adressa à lui en le vouvoyant, comme à chaque fois qu'ils n'étaient pas en tête à tête :

— Monsieur, voyez-vous quelque chose à rajouter ?

Perkins, lui, se réservait le droit de la tutoyer en toutes circonstances, eu égard à son appartenance au même corps des officiers et à son jeune âge. Il se rapprocha d'elle :

— Je veux juste compléter tes commentaires en disant que je suis aussi convaincu d'une implication de Patterson. Il faut continuer à le surveiller sans relâcher nos moyens. N'oubliez pas qu'il savait que les mutilations sur James avaient été faites post mortem. Un deuxième homme, en contact avec le Français, a été aperçu par Rosana Joyce. L'homme qui vouait sur terre la haine la plus virulente à l'encontre de Peter James, c'est lui ! Le principal suspect est a priori français, il faudra donc transmettre ces clichés à la police judiciaire en France. Ils peuvent connaître la signification du symbole.

— Justement, monsieur, un télex vient de tomber.

Tout le monde se retourna vers la secrétaire qui avançait vers Perkins.

— Un message d'Europol.

Perkins le parcourut rapidement :

— La PJ de Marseille enquête sur le meurtre d'un policier qui portait le même tatouage que James, au même endroit, sur la langue.

Il redressa la tête et prit un ton solennel :

— La clef de cette énigme se trouve dans le sud de la France. Ann, le directeur le validera, tu fais tes bagages pour aller y poursuivre l'enquête avec les Français. On calera cette mission au plus haut niveau, et j'informerai le *Crown Prosecution Service*. Deux flics abattus, ça fait beaucoup trop. Nous, on continue nos investigations ici. Au travail !

Pendant que les enquêteurs regagnaient leur poste, Ann s'adressa à Perkins :

— C'est à toi d'y aller. Tu es le chef, tu es le plus à même de représenter le service.

Il lui sourit en lui prenant amicalement la main.

— Moi, je suis en fin de carrière. Cette mission te sera plus profitable. C'est toujours utile de voir comment travaillent nos collègues européens. Tu connais mon caractère. Je ne voudrais pas risquer l'incident diplomatique si les choses ne se déroulent pas comme je le sens. Et puis, que deviendrait mon ami légiste sans moi si d'autres crimes étaient perpétrés ?

Elle se dressa sur la pointe des pieds et l'embrassa sur la joue.

— Je te tiendrai au courant régulièrement.

— J'espère bien ! Et reviens vite, on a besoin de toi ici.

22

La Place de Lenche, à deux pas du Vieux-Port, ne manquait pas de charme, avec ses cafés aux devantures colorées, emplacement probable de l'Agora à l'époque grecque de Marseille. Dans ce cadre typique, il avait donné rendez-vous à Mélanie Duras, la chroniqueuse judiciaire la plus capée de la ville. Sa plume excitait, chaque jour, la curiosité de ses lecteurs.

Elle ne se contentait pas de surfer sur les faits divers comme la plupart de ses confrères, elle analysait les ressorts psychologiques de tous les acteurs des procès. Elle assistait à toutes les audiences pénales, et rendait compte de l'événement avec un style particulier, sur un ton romanesque. L'image des drames marseillais était renvoyée comme dans un miroir, plutôt peu déformant. Caradec ne s'était pas contenté de s'informer sur sa personne. Il avait lu ses principaux articles dont certains avaient trouvé un écho national. Nul doute qu'elle maîtrisait parfaitement les personnages de ce grand théâtre de la cité phocéenne.

— Bonjour, commissaire. Excusez mon léger retard, un petit contretemps au journal.

— Asseyez-vous, Mélanie. Au soleil, l'attente est agréable.

Un garçon venait de se rapprocher.

— Un café crème pour moi, merci.

Elle incarnait la femme pleine d'assurance, redoutable intellectuellement, probablement castratrice aux yeux de nombreux machos. Caradec n'était pas de ceux-là. Au contraire, la personnalité de ces femmes intelligentes l'attirait, plus par leur caractère que par leur apparence physique. Elle le regardait comme si elle cherchait à sonder son âme.

— Par déformation professionnelle, je suis curieuse. J'espère que vous ne m'en voudrez pas. Dites-moi, si ce n'est pour le soleil et la mer, pourquoi avez-vous été affecté dans notre région ?

Il éclata de rire.

— Mélanie ! Vous n'allez pas apprendre à un vieux singe comme moi à faire la grimace ! Vous vous êtes déjà rencardée. Quelques coups de fil ont dû suffire pour répondre à la question : que vient faire un pilier du 36 à l'Évêché ?

Elle sourit à son tour, en enlevant sa veste de cuir.

— Je ne vais pas vous mentir. J'ai appelé. Mais il y a une vraie chape de plomb. Même mes collègues de la presse d'investigation m'expliquent que la Préfecture de Police n'a rien laissé filtrer.

— Je n'ai pas été muté à la suite d'une sanction. On a voulu me protéger avant que ma volonté de faire toute la lumière sur une affaire, ne soit considérée comme de l'acharnement au service d'intérêts politiques.

— Mais, en off, vous pouvez m'en dire plus ?

— Par respect pour mon directeur de l'époque et non par crainte ou calcul personnel, je n'en dirai pas plus.

— Donc, on en restera à une relation amoureuse entre deux femmes qui s'est terminée par un homicide passionnel.

— Les tragédies amoureuses ne sont pas réservées aux romans. Rien de nouveau sous le soleil.

— Quel lien avec le monde politique ?

— J'ai élucidé cette histoire. Le reste est sans intérêt. J'ai la satisfaction du devoir accompli.

Mélanie Duras porta la tasse de café à ses lèvres et la reposa d'un geste gracieux.

— Une chose est sûre, commissaire, vous êtes redoutable en affaires.

— Un compliment que vous m'avez déjà adressé et que je pourrais vous retourner. Vous ne lâchez jamais le morceau, c'est la réputation qu'on vous prête.

— Il faut se faire une place dans le milieu professionnel et marseillais. Particulièrement si vous êtes une femme. Je sais tenir ma langue s'il le faut et attendre pour publier au moment opportun, sans risquer d'interférer dans le déroulement d'une enquête.

— Eh bien, je suis prêt à évaluer votre loyauté. Parlez-moi du député Renoir.

— Un homme de convictions. Très impliqué dans les problèmes de pollution des sites industriels. Figure montante de la classe politique locale, il s'était engagé dans le combat écologique sur le site de Fos-sur-mer. Un de mes contacts particulièrement fiable a assisté à une altercation entre Renoir et Arnal. Apparemment, la femme du directeur de l'Opéra était au cœur de cette dispute. Ils en sont venus aux mains, en plein restaurant. On a dû les séparer. Ces faits se sont passés la veille de son accident. Voilà ce que j'ai pu apprendre.

— Et ce véhicule qui aurait percuté celui de Renoir, en le faisant sortir de la route ?

— La rumeur à Marseille est une maladie culturelle. Elle enfle plus vite que le mistral, et elle peut tuer. Un de mes informateurs m'a affirmé le tenir lui-même d'un de ses proches qui n'affabulait pas, et les on-dit ont circulé... Ici, le terrain politique miné depuis des générations, favorise ce phénomène. Avant, la théorie du complot alimentait les discussions de comptoir. Aujourd'hui, les réseaux décuplent les effets pervers de la rumeur. À croire que cette région a inventé les fake news.

— Et la relation entre Mme Arnal et le député Renoir, j'imagine qu'elle animait les dîners mondains ?

— Détrompez-vous. Ils ont su rester discrets. Je l'ai appris par un assistant de Renoir.

— On est toujours trahi par ses proches !

Mélanie Duras sortit une cigarette. Elle tira voluptueusement dessus, au grand dam de Caradec qui voulait enfin arrêter de fumer.

— Ça ne vous gêne pas ?

Il mentit, sans aucun scrupule :

— Non, pas du tout !

Elle fit tomber quelques cendres sur le trottoir.

— À moi de poser les questions, commissaire. Savez-vous comment le meurtrier de Martinez s'est débrouillé pour exposer le corps de sa victime sur la façade de l'Évêché, sans déclencher l'alarme ?

— La question du comment est intéressante, mais me paraît moins importante que celle du pourquoi ?

— Encore une façon habile de ne pas répondre !

Il se rapprocha de la table. Il ne voulait pas être entendu par des clients autour.

— Dresser le profil psychologique d'un tueur, c'est avoir fait la moitié du chemin vers l'élucidation. On n'a pas besoin d'être diplômé en criminologie pour déduire d'un mode opératoire atypique, la signature d'un criminel déviant. Il ne s'est pas contenté de tuer Martinez, il a voulu l'accrocher comme un trophée visible de tout le landerneau policier. A-t-il ciblé Martinez, intuitu personae, ou s'en est-il pris à un représentant des forces de l'ordre, ès qualités ?

Elle l'écoutait, les yeux brillants.

— Effectivement, cela change tout !

— Cette mise en scène révèle une certaine préparation. Vous l'avez suggéré tout à l'heure, son premier souci était de disposer le corps sans se faire voir.

— Ok, pour la personnalité complexe voire perverse du tueur. Mais avez-vous une ou des pistes ?

— Pas assez sérieuses pour vous les jeter en pâture. Nous enquêtons tous azimuts, et ce n'est pas à vous que je vais l'apprendre, nous checkons la dernière période de la vie de notre collègue. S'il n'a pas été choisi par hasard, qu'avait-il pu faire pour mériter un tel sort ?

— L'autopsie ?

Il se redressa contre le dossier de la chaise.

— Vous me demandez d'enfreindre l'article 11 du code de procédure pénale* ?

Elle le regarda avec des yeux implorants.

— Si peu !

— Je vais vous répondre sans transgresser la loi. Il n'est pas mort violemment, mais plutôt d'épuisement cardiaque.

— Ce qui renforce l'idée que nous sommes en présence d'un pervers.

— Je vous conseille de ne pas l'écrire, cette hypothèse pourrait être invalidée en fin d'enquête.

— Ne vous inquiétez pas. Je vous ai dit que je respecterai ma parole. Je ne publierai l'article que lorsque j'aurai votre feu vert. En contrepartie, je voudrais que vous

---

* Sauf dans le cas où la loi en dispose autrement et sans préjudice des droits de la défense, la procédure au cours de l'enquête et de l'instruction est secrète.

me mettiez un peu au parfum. On peut être amené à recouper nos infos.

— Je n'en doute pas.

— Il faut que je vous laisse. Cet après-midi, des trafiquants de stups passent en jugement. C'est le dénouement d'une longue enquête. Je vous rappelle très vite. Merci pour le café.

Elle s'éloignait lorsqu'il reçut un appel téléphonique.

— Patron, les Anglais débarquent !

— Santarelli, je n'ai pas l'esprit à plaisanter !

— Scotelande Yarde ! Une info de la DCPJ !

— La Canebière risque d'être un peu étroite pour les deux services !

23

Santarelli avait reçu pour mission d'accueillir Ann Smith à l'aéroport de Marignane. Son anglais très approximatif ne favoriserait pas le contact. Paris l'avait pourtant rassuré. Le message précisait que l'inspecteur Smith n'avait pas besoin d'interprète. Pendant ce temps, Caradec avait beau examiner les clichés de l'homme intéressant la police britannique, il ne trouvait aucune ressemblance physique avec le directeur de l'Opéra. Sur les articles de presse rassemblés par le pauvre Martinez dans le dossier « Renoir », il avait un physique imposant, sans rapport avec la silhouette fragile du suspect de Scotland Yard.

Pour lui, l'hypothèse de Marciac était improbable. Arnal n'aurait jamais pris le risque de foutre sa vie en l'air, en éliminant un policier qui enquêtait sur l'accident du député. Dans l'ensemble du dossier, aucun élément sérieux n'accréditait un éventuel meurtre et une implication de sa part. L'examen des contacts téléphoniques et

messageries d'Arnal n'avaient rien donné
de probant. D'ailleurs les bornes utilisées
confirmaient sa présence à Paris le jour de
l'assassinat de Martinez.

Plus le temps passait et plus il paraissait
évident que quelque chose dans la vie de
Martinez n'avait pas été pris en compte.
Comment avait-il pu évoluer dans un service spécialisé durant cinq ans, sans que
les personnes qui avaient partagé ses journées et quelquefois ses nuits, puissent en
parler ? Il était sans aspérité, comme un
hologramme à la vie trop lisse.

Même Marciac, son directeur, était incapable de l'évoquer en dehors du contexte
professionnel. Cette discrétion hors normes
cachait-elle une activité susceptible d'expliquer sa mort ? L'audition de son ex-femme
n'avait pas permis d'éclairer la personnalité
de l'homme. Leur séparation ne s'était pas
bien passée, mais pas au point d'en arriver
à régler des comptes devant les tribunaux.
Elle n'avait pas de mobile suffisant pour
l'éliminer. Elle ne l'avait pas quitté pour
un autre homme. Ils étaient tout simplement arrivés au bout de leur histoire. Et
quel rapport y aurait-il eu alors avec Peter
James ?

Plongé dans ses réflexions, il entendit à
peine quelqu'un frapper à la porte.

— Oui !

Santarelli invita Ann Smith à pénétrer dans le bureau et s'esquiva pour rejoindre son groupe. Caradec se leva pour l'accueillir :

— Commissaire Caradec. Bienvenue à Marseille. Vos affaires ont été transportées à votre hôtel ?

— Oui, merci. Ça m'a permis de venir ici directement.

— Je vois que vous vous exprimez parfaitement dans notre langue !

— Je me débrouille, j'ai commencé par des études de psychologie à la Sorbonne.

— Venez, on fera mieux connaissance en chemin. Je voudrais retourner dans l'appartement de notre collègue Martinez, même s'il a déjà fait l'objet d'une visite domiciliaire. Un détail nous a peut-être échappé.

— Parfait, je vous suis !

Ils ne mirent qu'un petit quart d'heure pour rejoindre le cours Julien. Si ce quartier bobo de Marseille ne correspondait pas avec l'image que Caradec se faisait de Martinez, le design épuré de son appartement était plus conforme. Une atmosphère froide de laboratoire se dégageait du loft rénové, avec quelques meubles blancs et des structures en métal. Caradec com-

mença à ouvrir les tiroirs d'un bureau, sous
le regard d'Ann étonnée.

— Vous ne mettez pas de gants ?

— L'Identité judiciaire est déjà passée,
ne vous inquiétez pas. Nous n'avons relevé
aucune trace pouvant démontrer que l'homicide de Martinez ait eu lieu ici. C'est
pour ça que l'appartement n'a pas été placé
sous scellés

— Qu'est-ce qu'on cherche exactement ?

— Quelque chose qui pourrait expliquer
pourquoi Martinez a été ciblé.

Elle se mit à fouiller à son tour dans le
dressing.

— Il n'y a que des vêtements masculins !

— Il venait de se séparer de sa femme.

Caradec n'avait rien trouvé dans le
bureau. Dans la bibliothèque murale,
parmi les nombreux ouvrages, des albums
sur l'opéra confirmaient sa passion pour la
musique. Au moment d'en prendre un pour
le feuilleter, une photographie glissa sur le
parquet. Il la ramassa. Ann qui n'avait rien
trouvé de particulier, se rapprocha :

— Intéressant ?

Le cliché avait été pris dans son bureau
de la Criminelle.

— Là, c'est Martinez. Et toutes ces personnes autour de lui sont des collègues, à
part le procureur, ici, et M. Estéban le méde-

cin légiste. Lorsqu'une enquête est terminée et qu'elle a été particulièrement longue, on peut boire un verre pour fêter ça.

— Finalement, nous ne sommes pas si différents. Chez nous, on se retrouve au pub.

Le téléphone de Caradec se mit à sonner.

— Oui !

— Commissaire, on a un nouvel homicide sur le dos !

24

Dix heures. Le quartier de la Cité des Lauriers semblait avoir déjà absorbé la nouvelle. La vie quotidienne commençait à reprendre autour des points de deal. Cette activité gangrenait chaque pied d'immeuble. Le ballet incessant des gamins en scooters s'inscrivait naturellement dans le fond sonore du décor. À peine pouvait-on noter une plus grande excitation due à la présence policière. Des barres entières résistaient à la destruction programmée par les urbanistes. Plongée d'habitude dans une ambiance discrète pour assurer la sécurité des charbonneurs*, l'esplanade principale reflétait exceptionnellement les lumières des gyrophares.

Ann et Caradec confièrent leur véhicule à la garde des policiers chargés de surveiller le parc automobile. Au loin, les flashs de l'Identité judiciaire crépitaient.

— Vous n'aurez pas mis longtemps à faire la connaissance des autorités locales.

---

* Vendeurs de stupéfiants.

— Nous sommes où, ici ?

— Dans un des quartiers Nord de Marseille. Un endroit où le trafic de stupéfiants recrute des jeunes, et tue en endeuillant des familles entières. Les armes se vendent à qui veut bien les acheter pour asseoir la loi du plus fort.

Ils avancèrent pour rejoindre la scène de crime.

— Monsieur le procureur, je vous présente Ann Smith de Scotland Yard. Elle travaille avec nous sur l'affaire Martinez.

Le procureur tendit la main au lieutenant britannique.

— Bonjour. Le magistrat chargé de l'instruction m'informe régulièrement. Une affaire peu banale. Deux flics tués vraisemblablement par le même tueur, à Londres et à Marseille.

Il salua ensuite Caradec :

— Et ce symbole étrange tatoué sur leur langue ? J'espère que nous n'avons pas affaire à la signature d'une organisation secrète orchestrée par des illuminés ?

— En tout cas, cette fois-ci on va sûrement retrouver un contexte plus classique de guerre des gangs !

Caradec présenta l'homme qui venait de parler :

— Ann, je vous présente mon directeur, le Contrôleur général Marciac.

Ceux-ci se saluèrent d'une poignée de main cordiale. Caradec en avait profité pour s'avancer vers le corps allongé sur la chaussée. Estéban, le médecin légiste était penché sur la victime. Il se releva :

— Bonjour, commissaire, comme vous pouvez le voir, notre cadavre n'a plus de tête.

Occupé à donner des ordres, Santarelli venait de se rapprocher :

— Un cadavre que nous appellerons monsieur X, pour l'instant. On n'a trouvé aucune pièce d'identité sur lui. Ce qui n'est pas très original pour le quartier.

Le légiste poursuivit son examen :

— Le cou a été tranché probablement au moyen d'une scie à voir les bords déchiquetés de la plaie. Le corps a été déplacé, sinon on pataugerait dans une mare de sang. Pas d'impact de balle. En revanche, regardez...

Il souleva le corps pour le retourner sur le côté.

— ...vous voyez là, de chaque côté du dos, comme des traces de brûlures. Je pense qu'il a été électrocuté. L'analyse microscopique du cœur et des poumons permettra peut-être de répondre à cette question.

Caradec s'agenouilla et chercha dans ses poches des gants en latex. Ann sourit en lui tendant une paire.

— Merci. Vous voyagez toujours avec ?

— Chez nous, c'est comme votre arme de service. On se sent nu quand on n'en a pas !

Lorsque le légiste avait bougé le corps, Caradec avait aperçu des traces sous l'aisselle, côté droit. Il écarta le bras en le repliant sur le torse.

— Santarelli, éclairez dessous, s'il vous plaît.

Le rayon lumineux révéla une inscription à l'encre noire à peine visible sur la peau : *Youtube.com/c/00025.*

— Une adresse URL sur l'hébergeur de vidéo YouTube.

Ann s'empara de son smartphone et consulta le site. Elle se figea en voyant les images. Caradec se redressa et comprit à son tour.

Quelqu'un avait filmé une bougie allumée au bout d'un chandelier posé sur une table. Un bandeau lumineux passait en boucle : **Lux Lucet In Tenebris**.

Estéban, le légiste s'était relevé lui aussi :

— « La lumière luit dans les ténèbres ». Y'a pas photo, commissaire, c'est le même !

— Le même ? De quoi parlez-vous, docteur ?

Le procureur et Marciac, en discussion
avec un représentant de la mairie, n'avaient
pas tout suivi.

— Le même symbole, monsieur le procureur.

— J'ai compris. Je vais délivrer un réquisitoire au même juge qui instruit l'affaire
du meurtre du policier !

Caradec ne pouvait pas être plus clair.
Ce nouvel homicide était lié aux meurtres
de Martinez et de James.

— Je veux voir mon frère !

Quelqu'un criait derrière eux. Des gardiens de la paix interdisaient l'accès à un
garçon derrière le cordon de sécurité. Caradec se porta à leur niveau.

— Qui êtes-vous, jeune homme ?

Le jeune du quartier, particulièrement
tendu, continuait à vouloir avancer en
force.

— Laissez-moi passer !

— C'est bon, laissez-le venir.

Les gardiens levèrent le ruban. Caradec
l'attrapa par le bras.

— Comment vous vous appelez ?

— Karim ! Karim Bellabes. Je veux voir
mon frère Farid !

Il le retint fermement, surpris par son très jeune âge, quatorze ans tout au plus.

— Attends, pour l'instant tu ne peux pas le voir. C'est une enquête criminelle. Tu comprends ?

Karim se calma assez vite.

— Comment tu sais que c'est ton frère Farid ?

Ann venait de les rejoindre. Elle lui parla d'une voix douce, en lui prenant la main :

— Décris-nous les vêtements de Farid.

Le jeune fondit en larmes.

— Je me suis mis à la fenêtre, on m'avait dit qu'il y avait plein de keufs. Alors, de là-haut, j'ai reconnu le blouson de mon frère, un cuir noir avec des bandes dorées sur les manches. Il l'a fait venir des States. Farid est le seul à en avoir un comme ça dans le quartier. Je veux le voir !

— Ton frère a un signe particulier ?

— Une cicatrice sur l'arcade sourcilière, depuis un accident en moto.

— Est-ce que tu sais s'il était menacé ?

— Si vous voulez savoir s'il tenait le business, je ne dirai rien. C'est vous les flics. Je vous conseille de mettre celui qui l'a buté hors de portée, parce que je vais pas le rater. Avoir un gun ici, c'est pas ce qui manque. Je n'ai plus que ma mère, j'ai rien à perdre.

— Commissaire ! Venez voir !

Santarelli se tenait près d'un container poubelle.

— Karim, un de mes adjoints va te raccompagner pour annoncer le décès de Farid. à ta mère. Après l'autopsie, on vous fera venir pour reconnaître le corps.

Santarelli et les agents de l'Identité judiciaire s'activaient autour du container. Caradec et Ann avaient un mauvais pressentiment qui se confirma. La tête de la victime reposait au milieu des détritus. Il s'agissait bien de Farid Belabbes reconnaissable à la cicatrice évoquée par son frère Karim.

Caradec avait besoin de réfléchir, loin de l'effervescence de la scène de crime. Ann l'avait suivi, comme elle le faisait avec Perkins.

— À quoi tu penses ?

Inconsciemment, Ann venait de tutoyer Caradec. Elle le voyait perplexe. La dureté de ces affaires criminelles les rapprochait naturellement.

— L'enquête change de dimension. Jusque-là notre tueur s'en était pris à deux flics. Même si nous n'avions pas établi de liens spécifiques entre nos collègues, il y avait forcément une logique criminelle dans l'esprit de ce malade.

Ann ne pouvait qu'être d'accord.

— Maintenant, quel peut être le lien entre nos deux flics et un dealer ?

— La drogue, justement. Ton collègue James, il ne bossait pas aux Stups ?

— Si, depuis peu. Un autre élément nous ramène à l'économie souterraine. À Londres, notre suspect principal a sous-loué une chambre d'hôtel à un trafiquant de cocaïne, même s'il se défend de le connaître.

Santarelli avait entendu l'échange :

— Reste que notre Martinez bossait à la Crime, pas aux Stups.

— Vous pouvez me garantir qu'il n'avait pas un tonton dans le milieu de la came ? Ça peut servir, même à la Crime !

— Il faut que je vérifie dans le listing des sources des informateurs.

25

— Patron, on a du nouveau !

Santarelli arborait un sourire de vain-queur. Comme d'habitude avant de pour-suivre, il savourait l'effet de surprise. Caradec continuait à signer les documents dans son parapheur, histoire de s'amuser à titiller son impatience.

— Vous avez entendu ?

— Qu'est-ce que j'aurais dû entendre ? Vous n'avez encore rien dit.

— Vive les caméras de la ville ! Quand je pense qu'il y a du monde pour se plaindre de la vidéosurveillance ! La protection de la vie privée et tutti quanti...

— Si vous en veniez au fait !

— Les services de la voirie ont décou-vert le corps de Farid Belabbes vers 9 h 45. À 9 h 30, un 4x4 noir arrive et fait le tour du rond-point, avant de stopper net. Deux hommes cagoulés en descendent, ouvrent le coffre pour en sortir le cadavre sans tête qu'ils abandonnent sur la chaussée. Ensuite, l'un d'entre eux revient vers la voi-ture et en tire un emballage qu'il vide dans le container poubelle. Le sac contenait la tête de Farid. On a extrait les clichés.

Caradec saisit les photos. Les malfrats avaient pensé à tout : le 4x4 n'avait pas de plaques d'immatriculation.

— On a signalé un incendie de véhicule dans la région ?

— J'allais y venir. On a reçu un message de la gendarmerie de Saint-Julien. Un 4x4 a bien cramé sur leur commune à 10 h 30. L'Identité judiciaire s'est déplacée mais sans espoir de pouvoir prélever quoi que ce soit au vu des dégâts.

— Ok, on a quand même un signalement avec les vêtements portés par ces deux individus.

— J'ai communiqué les clichés aux Stups, ils ne sont pas en mesure de les identifier. Il faudrait qu'ils les montrent à leurs informateurs.

— Sur leurs écoutes, ils ont peut-être un écho de ce qui s'est passé ?

— Non, pas un bruit. Ce silence est anormal, à mon avis.

Caradec n'arrivait pas à détacher ses yeux des clichés.

— Si comme tout le laisse penser, le flingage de Farid était un avatar de la guerre des bandes, comment positionner Martinez et James sur cet échiquier ?

— La corruption pourrait être une explication. Nos deux collègues ont pu se croire assez forts pour prendre la main sur le trafic.

Ann venait d'entrer dans le bureau. Il ne comprenait pas ce qui pouvait la rendre aussi sûre d'elle.

— J'étais en communication avec Londres. On a découvert que James avait beaucoup d'argent sur un compte en Suisse. Sa femme est tombée de l'armoire en ouvrant un de ses courriers.

Finalement, Caradec voulait y voir un début de logique.

— Ça tient la route. James et Martinez ont pu travailler sur un réseau international de cocaïne, et basculer dans l'illégalité. Farid a pu servir de cheval de Troie.

Santarelli devinait où Caradec voulait en venir.

— Le type qui les a tués pourrait avoir été carotté* ?

— Ce qui expliquerait sa haine et les sévices infligés à ses victimes. Ann, on a des mouvements sur le compte en Suisse ?

— Non, l'argent a été déposé par James en espèces. Depuis, il y dort.

---

* Soutirer de la marchandise ou une somme d'argent dans le vocable des dealers.

Caradec se leva pour jeter un coup d'œil par la fenêtre.

— Sûr, ça aurait été trop beau ! Maintenant, il faut passer à la vitesse supérieure. On va entendre Karim Belabbes et lui montrer les clichés. Quelque chose me dit qu'il peut reconnaître ces types.

Ann se redressa sur son siège :

— Tu ne crains pas qu'il aille les buter une fois sorti du commissariat ?

— C'est bien ce que j'espère. Seulement, on ne sera pas loin pour éviter le carnage. Il va nous mener directement vers leur planque.

Pour une fois, Santarelli exprima quelques doutes :

— À supposer qu'il vienne à notre convocation, je suis prêt à mettre ma main au feu qu'il tourne déjà comme un fou dans la cité pour retrouver les exécuteurs de son frère. Et vu son âge, les autres risquent de n'en faire qu'une bouchée.

— Justement, si l'on ne veut pas avoir une autre victime à compter dans la famille Belabbes, il faut se bouger. On va aller chez lui pour l'entendre.

26

Sous le soleil, au premier coup d'œil, les immeubles du quartier des Lauriers ne donnaient pas le sentiment d'une cité interdite. À cette heure matinale, les choufs* chargés de contrôler les visiteurs extérieurs, n'avaient pas encore pris leur poste. Les aires de jeux étaient définitivement désertées. Trop risqué de laisser jouer des gosses au milieu des règlements de compte.

Sur les murs, des tags proposaient un catalogue de produits stupéfiants avec leurs tarifs. Au rez-de-chaussée, un canapé trônait sur ce qui restait de la pelouse. Dans la journée, et jusqu'à des heures tardives dans la nuit, des jeunes s'y installaient de façon visible, pour localiser le point de deal. Au détour d'un escalier, la liste des immatriculations de voitures de police banalisées recouvraient le crépi intérieur.

En pénétrant avec Caradec et Santarelli dans les parties communes, Ann découvrait ce que l'on appelait une Zone de Sécu-

---

* Chouf : « regarder » en arabe.

rité Prioritaire. Une odeur doucereuse de chicha planait dans l'escalier où se situait l'appartement de la famille Belabbes.

— Bonjour, madame, je suis le commissaire Caradec, voici mes collègues. Nous venons dans le cadre de l'enquête sur la mort de Farid.

— Quand c'est qu'on va me rendre mon fils ?

— Laissez-nous entrer, on va vous expliquer.

Elle les invita à pénétrer dans l'appartement et à s'asseoir dans le salon.

— Vous voulez un thé ou du café ?

— Un café, avec plaisir.

Ann appréciait l'atmosphère chaleureuse de la pièce en observant le sofa, le tapis.

— Elle reste accueillante malgré le sort qui la frappe !

Cette réflexion ne laissa pas Caradec indifférent. Les Britanniques côtoyaient des communautés du Moyen-Orient ou d'Asie issues du Commonwealth plutôt que des populations d'Afrique du Nord.

— Les gens, ici, pour la plupart d'origine maghrébine, ont une vraie culture de l'hospitalité.

Madame Belabbes revint avec un plateau dans ses mains colorées au henné.

— Madame, pour l'instant le magistrat a demandé une autopsie du corps de Farid. Une fois les examens terminés, il délivrera l'autorisation d'inhumer votre fils.

Encore sous le choc, elle essuya des larmes sur ses joues.

— On a besoin de le veiller. C'est la tradition chez nous.

Elle prit les mains d'Ann dans les siennes, en la regardant dans les yeux.

— Vous avez un fils ?

Gênée, Ann échangea un coup d'œil avec Caradec.

— Non. Je n'ai pas d'enfant. Mais je vous comprends. Le commissaire fera le nécessaire pour accélérer les démarches.

— Madame Belabbes, Karim est mineur, il faut que nous l'entendions en votre présence.

— Il est dans sa chambre. Il dort, il a dû rentrer tard cette nuit.

— On a besoin de son témoignage.

Karim ne mit pas longtemps à les rejoindre, particulièrement tendu.

— Je n'ai rien à vous dire ! Qu'est-ce qu'ils vont penser les autres ? Que les keufs sont venus chez mes darons*, que je suis

---

* Parents.

une balance. Vous débarquez dans la boîte de six*, pour griller ma réputation ?

Caradec, calmement, lui fit signe de s'asseoir.

— Karim, on a besoin de t'entendre. On veut seulement interpeller celui qui a tué Farid. Il faut que tu nous aides.

Calmé, le jeune prit une chaise et s'installa. Santarelli sortit son ordinateur pour rédiger le procès-verbal d'audition du témoin.

— Ton frère t'a dit s'il était menacé ?

— Tout le monde a des guns, ici. Tout le monde est menacé, ça fait partie du business !

— Ok, Karim. Mais moi je te parle d'une embrouille au bout de laquelle Farid a été mutilé.

— Ils l'ont ambiancé pour de la maille**. Faut pas me la faire.

— Sois plus clair !

— Aujourd'hui, les chefs de bande participent au paiement de la beuh***. Avec une grosse somme, on peut acheter une grosse quantité. Lorsque la dope arrive, elle est

_____

    * Boîte de six (camion de poulets) par comparaison avec les boîtes de nuggets.
    ** Embrouillé pour de l'argent.
    *** Herbe-cannabis.

répartie en fonction de ce que chacun a investi.

— Et alors ?

— Alors, mon frère a placé de l'argent, mais il s'est fait avoir. Les bâtards, ils lui ont fait croire que les chtars* avaient intercepté la beuh à la frontière.

Ann avait suivi l'échange sans intervenir. Mais une question lui brûlait les lèvres :

— Karim, tu as déjà vu ce motif ? C'est le graff d'un clan ? Ton frère portait les références de ce message sur YouTube.

Elle lui montra la vidéo sur son smartphone.

— Non, j'ai jamais vu ça ! C'est pas le signe de reconnaissance d'une bande d'ici.

Santarelli sortit les clichés de sa mallette.

— Regarde bien ces photos. Les gars sont cagoulés, mais tu les reconnais peut-être.

— C'est qui ces mecs ?

Santarelli fixa Caradec qui acquiesça de la tête.

— Ils ont déposé le corps de ton frère sur le rond-point. Tu les reconnais ?

Karim se raidit sur sa chaise, sans parler.

— Est-ce que tu les reconnais ?

— Non !

---

* Policiers, keufs.

Il reposa les photos sur la table. Caradec comprit qu'il mentait. Le jeune était naturellement bavard. Or la vue des suspects l'avait brusquement poussé à se refermer. Santarelli imprima le procès-verbal.

— Voilà. Tu lis ton audition et tu signes en bas de chaque page.

Il lui tendit un stylo. Karim parcourut rapidement le PV et apposa sa signature. Son esprit était déjà ailleurs...

27

Il descendit les escaliers à toute vitesse. Dans la rue, il rajusta sa casquette sur le front et courut vers l'immeuble le plus névralgique de la cité des Lauriers. Il ne ralentit même pas devant la menace d'un pitbull gris. Mais le chien avait reconnu son odeur et le laissa passer sans difficulté. Devant la porte d'un appartement squatté, il envoya un SMS : « Bolo c'est Taser ». Il pénétra rapidement et un jeune referma immédiatement derrière lui. Les deux adolescents se saluèrent, front contre front.

— Taser, qu'est-ce que tu fais là ? Les keufs peuvent te surveiller ! T'oublies que ton frangin s'est fait buter.

— T'inquiète, les babtous*, ils ont trop peur de venir jusqu'ici. J'ai besoin d'un Glock.

— Qu'est-ce que tu vas faire avec ? Tout seul, tu vas lui faire la hagra** ? Tu sais à qui tu t'attaques ? Un plus fort que toi. Il

---

* Verlan de Toubabs (les Blancs).
** Lui faire la misère.

a des kalachs, des gardes du corps. À ta place, je resterais tranquille avec ta mère. Farid, il s'est fait carotter ? Et alors ! C'est arrivé à d'autres.

— Le Balafré, je vais lui faire manger les morts ! Fallait pas qu'il touche à Farid. J'ai vu les photos des keufs. C'est lui et DJ Call qui l'ont fumé !

— Arrête !

Nerveux, les larmes aux yeux, Karim plaqua Bolo contre le mur.

— Ils lui ont coupé la tête, tu sais ça ! Ils sont allés trop loin !

Bolo ne chercha plus à discuter. Il se dirigea vers le couloir et se hissa à l'aide d'un tabouret. Du faux plafond, il réussit à extraire un sac qu'il ouvrit sur une table noircie par la découpe de résine de cannabis.

— J'ai un UZI, si tu veux, il rafale. C'est plus sûr.

— Mais moins discret ! Donne-moi le Glock.

Bolo se résigna à lui tendre le pistolet automatique enveloppé dans un torchon.

— 2000 !

Karim le paya sans discuter et cacha l'arme de poing dans la poche de son blouson. Bolo plaça les billets dans le sac qu'il referma aussitôt.

— Tu sais où il crèche, au moins ?

— Cité La Savine, chez sa meuf.

— Méfie-toi, ils vont te voir arriver de loin.

Karim sourit.

— Ils ne vont pas se méfier. J'ai un cousin qui habite la même barre. J'ai besoin d'un service. S'il m'arrive quelque chose, préviens mon oncle pour qu'il s'occupe de ma mère. Il est sur le Mirail à Toulouse. Je t'envoie son 06 sur ton portable.

— Ok, mais ça craint !

— T'en fais pas, je vais faire attention. Tu as toujours ton scooter ?

— Tu as les clefs sur la table. Il est en bas. Mets ce casque, si tu ne veux pas te faire serrer.

— Merci.

« À tout le dispositif, c'est bon, il quitte la cité, on suit derrière tranquillement. Pour ceux qui ne l'ont pas à vue, il est à bord d'un scooter noir sans plaque, et porte un casque blanc ».

Caradec venait de donner le top départ de la filature de Karim.

— Ok, de biker 1 à Central, on l'a en visuel. Il s'engage sur le périphérique, direction Marseille Nord.

Il conduisait à vive allure après avoir laissé un peu de distance entre eux et l'objectif. La moto suiveuse était devant, insérée dans le flux de circulation.

— De biker 1 à Central, il sort du périph' pour prendre la direction de la Savine.

Ann écoutait le trafic radio, tout en surveillant le flot des véhicules.

— La Savine ?

— Une autre cité sensible au nord de la ville. Je pense que nos clients cagoulés doivent se planquer là-bas.

Caradec prit à nouveau la radio pour donner des ordres :

— À tous, on laisse biker 1 fixer la destination de l'objectif. On va se poser à l'entrée du quartier. C'est pas la peine de se faire détroncher.

— Bien reçu de Central.

— J'espère qu'on n'envoie pas le gosse à la boucherie.

— Ann, on est là. Dès qu'il entre en contact, on intervient. Ça va bien se passer. Les gars de la BRI sont rompus à ce genre de mission. C'était le seul moyen de gagner du temps. Et avec le nombre de cadavres qu'on a déjà sur les bras, du temps, on n'en a plus beaucoup !

Le téléphone de l'officier de Scotland Yard se mit à vibrer.

— Mon patron m'envoie un message de Londres. Le service a réussi à isoler un téléphone dont l'abonnement n'est pas britannique, dans un rayon de deux cents mètres autour de l'hôtel occupé par notre objectif. Il a aussi émis près de la station Lambeth North.

— Beau travail. Notre homme a fait une erreur. Il a pensé à l'éteindre pour se rendre à l'hôtel, mais uniquement à la sortie du métro. À mon avis, il n'est pas identifiable, mais ça peut servir. Envoie les coordonnées à Santarelli, ce numéro peut être repéré quelque part dans un coin chez nous. Il fera des réquisitions pour consulter les opérateurs.

Un second message s'afficha sur l'écran de son smartphone.

— C'est Perkins qui me souhaite bonne chance. Il te passe le bonjour et te remercie de me supporter.

28

— Beuh…, coke…, ecsta…, on a la meilleure.

Le vendeur avait l'âge de Karim. Rien
ne le différenciait des jeunes des cités voi-
sines. Toujours aux aguets, il balayait les
environs de son œil avisé.

— Vingt euros le gramme avec un briquet ! Dis-le à tes frérots, ici y'a la came la
moins chère !

— Laisse tomber, je viens voir mon cousin Kamel.

— Kamel, je connais pas !

— Kamel Belabbes.

Face à l'absence de réaction du jeune
dealer, Karim prit un ton agressif :

— Kamel Belabbes, tu connais pas ! Tu
te fous de ma gueule ?

— Le Mytho, je déconne ! C'est bon, tu
peux passer.

Il siffla très fort pour avertir les choufs.
Un sésame sans lequel aucun accès à l'immeuble n'était possible. L'appartement du
Balafré se situait au deuxième étage. Il
apparut en personne sur le pas de porte,

l'air particulièrement tendu. Ses mains tremblaient comme s'il venait de se faire une ligne de cocaïne.

— Je te reconnais ! Tu es le frère de Farid !

— Je suis venu pour te parler. Laisse-moi entrer !

Karim fit un pas en avant, mais le Balafré le repoussa de la main fermement. Plus âgé d'une dizaine d'années, il n'eut aucun mal à s'imposer.

— Dégage, c'est mieux. On est tout le temps surveillé, ici.

— Je viens te proposer un plan. J'ai repris le business après Farid. On peut ramasser pas mal de maille.

Le Balafré ne put s'empêcher de sourire :

— Tu me prends pour un cave ? Pourquoi tu aurais besoin de t'associer à moi ? Ton frère gérait les principaux points de deal sur les Lauriers. Les autres continueront à bosser pour toi.

— Justement, j'ai pas confiance. Je suis sûr qu'il y a une balance parmi eux, ce qui a coûté la vie à mon frère.

Le Balafré ne bougea pas un muscle. Il était le mieux placé pour savoir ce qui était arrivé à Farid. Et il n'avait pas envie d'en parler.

Il fallait que Karim entre pour pouvoir le tuer sans témoin. Il le dévisagea intensément. Le Balafré devait son surnom à un coup de couteau qui lui avait tranché l'arcade sourcillière.

— Je croyais que tu étais le big boss. Excuse-moi, je me suis trompé.

Karim fit mine de partir.

— Attends ! Entre, on va parler.

En refermant la porte derrière eux, il lui fit signe de s'asseoir sur le canapé.

— Alors, je t'écoute.

— D'abord, je veux savoir ce qui est arrivé à mon frère.

— Pourquoi je saurais ?

— Parce que tu étais avec lui quand ça s'est passé.

— N'importe quoi, tu es fou ou quoi !

— On t'a vu sortir le corps de la voiture. C'est toi qui as tué Farid !

Karim porta la main à sa poche mais le Balafré, plus rapide, sauta sur lui et lui subtilisa son arme. Il se releva en le braquant :

— Maintenant, c'est toi qui vas crever, enfoiré.

À cet instant, la porte d'entrée vola en éclats sous le bélier de la BRI. Les policiers investirent l'appartement. Apercevant un

point lumineux sur son thorax, le Balafré
préféra lever les bras en signe de reddition.
Karim se releva doucement. Il reconnut
Caradec et Ann, derrière les policiers équipés de boucliers et de gilets tactiques. Le
commissaire s'adressa au locataire des
lieux :

— Comment vous vous appelez ?

Comme il gardait le silence, Karim réagit
à sa place :

— Le Balafré !

— Le Balafré, fit Caradec, c'est pas un
nom, ça. De toute façon, on va le savoir
avec vos paluches. Vous êtes sûrement déjà
tombé. C'est une question d'heures.

— Nordine Souissi.

— Ok, Nordine Souissi, il est 15 heures,
vous faites l'objet d'une mesure de garde à
vue dans le cadre de l'homicide de Farid
Belabbes. Vous pouvez faire appel à votre
avocat. Si vous n'en avez pas, on en sol-
licitera un commis d'office. Vous pouvez
demander à avertir une personne de votre
famille et à être consulté par un médecin.

Le brigadier-chef de la BRI récupéra
l'arme des mains de Nordine Souissi pendant que ses collègues le maîtrisaient en
lui passant les menottes. En présence de
l'interpellé, ils commencèrent à perquisi-
tionner le domicile. Les spécialistes du Ser-

vice régional de l'Identité judiciaire prirent possession des lieux. Tout fut fouillé dans les règles.

Cette phase de l'enquête se déroula rapidement. L'appartement se résumait à deux petites pièces, et paraissait ne servir que de point de chute. Les recherches n'apportèrent rien de décisif. Caradec remercia le chef de la BRI pour son soutien. Devant la prolifération des armes de guerre dans les quartiers, cette unité était de plus en plus sollicitée. Il n'était pas nostalgique du temps où les voyous avaient soi-disant des règles de conduite, et où la police était crainte. Il fallait bien évoluer dans un environnement empreint d'une plus grande violence. Pour autant, il devait bien reconnaître que le métier avait changé, que la vie des flics pouvait être sacrifiée parfois pour le seul plaisir de l'acte gratuit. L'attraction diabolique de l'argent facile projetait inexorablement les jeunes dans une spirale infernale au bout de laquelle la mort était souvent au rendez-vous.

Comme si elle avait deviné ses pensées, Ann posa amicalement sa main sur le bras de son collègue français :

— Tu sais, nous aussi, nous sommes confrontés à cette jeunesse en dérive, et nous n'avons pas plus de solution immédiate. Nos sociétés devraient s'arrêter un moment pour réfléchir et répondre à ce défi gigantesque. Est-ce bien le monde qu'on souhaite pour nos jeunes ?

Elle avait choisi ce métier. Le terme de vocation serait plus adapté, vocation assortie d'une mission sociale, dure mais enrichissante.

— Ann, tu as à peine trente-cinq balais et tu parles déjà comme une vieille ! Ce monde, c'est ta génération qui le construit avec ses défauts et ses qualités. Ce qui compte, c'est de ne pas en être simplement spectateur.

Après un court silence, il rajouta :

— Maintenant, je comprends le message de ton chef !

29

Dans la salle d'audition, Nordine Souissi n'en menait pas large. Il se demandait qui pouvait l'avoir balancé aux flics de Marseille. Les poignets toujours malmenés par des menottes trop serrées, il attendait impatiemment l'arrivée de son avocat. Il se préparait, dans sa tête, à tout nier. Les flics ne devaient pas savoir grand-chose. Ils avaient dû conclure à une simple guerre des bandes. Il était de notoriété publique que la cité des Lauriers se livrait à une intense concurrence avec celle de la Savine. Sinon pourquoi l'auraient-ils interpellé ? Se construire un alibi ne serait pas difficile, il suffirait d'allonger la maille. Dans les quartiers, au sein des gangs, tout s'achète même les faux témoignages. Au moins, Nordine était confiant sur ce point.

Ils auraient du mal à lui mettre le meurtre de Farid sur le dos. Cet enfoiré avait osé venir le chercher sur son terrain. La coke, c'était lui à Marseille. Il laissait aux autres le trafic de cannabis. Farid aurait dû se contenter d'écouler cette dope tellement courue chez les étudiants et les bobos. Seulement, tout le monde faisait dans l'herbe.

Mais lui, Le Balafré, celui qui avait payé des vacances aux gosses du quartier, négociait avec l'Amérique du Sud. Il tenait des notables de Marseille dans ses mains. Les keufs avaient bien essayé de lui piquer le fichier client, mais sur Snapchat, les messages pouvaient s'effacer aussi vite qu'ils s'affichaient.

Il sursauta en entendant l'ouverture badgée de la porte. Caradec venait d'entrer avec Ann et le lieutenant Delgado.

Nordine les regarda s'installer, avec un intérêt particulier pour l'officier qui branchait son ordinateur portable. Ann s'interrogea sur la nécessité de matérialiser une audition. À Londres, il suffisait d'enregistrer, et les bandes pouvaient servir à l'arbitrage du juge.

— Chez nous, Ann, la procédure pénale est inquisitoire, donc écrite et confidentielle. Contrairement à votre système accusatoire, le juge représente ici la société. L'audition est filmée en matière criminelle, c'est obligatoire. On attend plus que...

L'avocat venait de pénétrer dans la salle. Caradec se retourna vers lui :

— Maître, justement....

— Excusez mon retard, mon précédent rendez-vous s'est éternisé. Puis-je connaître les griefs retenus contre mon client ?

— Nous pensons que Nordine Souissi est impliqué dans l'assassinat de Farid Belabbes, d'où son placement en garde à vue après notification de ses droits. Pour rappel, maître, la victime a été retrouvée décapitée en plein quartier des Lauriers. Sa tête a été découverte dans un container poubelle à une vingtaine de mètres de son corps.

Il s'adressa ensuite directement au gardé à vue, en présentant les photos :

— Souissi, reconnaissez-vous la victime ?

Celui-ci hésita avec un réflexe de recul sur sa chaise :

— Oui, c'est bien Farid. Farid Bellabes. Mais pourquoi vous me demandez si je le connais ? Je n'ai rien à voir avec ça !

— Quelles étaient vos relations avec lui ? On sait qu'il commençait à vous faire de l'ombre sur votre territoire !

— Dans le business, on gagne, on perd. Tant mieux pour ceux qui réussissent.

— Je ne crois pas que votre sens du partage soit aussi développé. S'enrichir, c'est avoir les moyens de prendre des territoires. Et c'est bien ce que Farid Belabbes s'apprêtait à faire, je me trompe ?

— On n'est pas sur le même créneau ! Il ne m'a jamais inquiété. Moi je fais dans la blanche, demandez aux Stups !

Caradec se leva et fit quelques pas dans la pièce.

— Ce n'est pas son monopole dans le cannabis qui vous gênait, c'est qu'il osait écouler sa came sur votre cité. C'est ça votre mobile. Vous l'avez éliminé pour garder le contrôle de votre quartier.

— Je vous dis que je ne l'ai pas buté !

Nordine criait. Il sentait que les policiers commençaient à l'enferrer*.

— Je m'y serais pris autrement. Chez moi, on règle ses problèmes en faisant parler les armes, pas en coupant des têtes !

Le lieutenant Delgado déposa sur la table les clichés des hommes cagoulés sortant le cadavre du coffre.

— Monsieur Souissi, ça vous dit quelque chose ?

Il se pencha pour mieux voir, puis repoussa les clichés devant lui.

— Je ne sais pas qui sont ces types. Je n'ai rien à voir avec eux.

---

* Enfoncer dans ses contradictions.

Une secrétaire se présenta en pleine audition. Une lumière rouge à la porte indiquait de « ne pas déranger ». Pourtant, elle transgressa l'interdit et entra dans la pièce.

— Commissaire, un pli urgent de l'Identité judiciaire.

Caradec sortit pour en prendre connaissance. Un sourire s'affichait sur ses lèvres au moment de regagner la salle d'audition.

— Vous êtes sûr que ces photos ne vous disent rien ?

Nordine Souissi comprit au ton du commissaire que celui-ci devait avoir un atout dans sa main. Mais il conserva sa ligne de défense.

— Non, je vous dis. Je ne connais pas ces mecs !

— Maître, il va falloir que votre client soit plus convaincant. Nous venons de recevoir un rapport de l'IJ qui a isolé une empreinte papillaire sur le sac contenant la tête de Farid Belabbes. Elle ressort positive, et je suppose que vous vous doutez à quel nom ? Votre client est déjà connu des services judiciaires.

Dans un silence de plomb, Souissi sembla baisser la garde.

— Qu'avez-vous à dire ? C'est implacable. Vos empreintes sont sur le sac dans

lequel a été transportée la tête de la victime. Vous êtes dans un sacré pétrin.

Le Balafré restait immobile comme
sonné par le rebondissement apporté par
le flic.

— Un autre élément à prendre en consi-
dération, Karim Belabbes n'a pas mis
longtemps à se rendre chez vous avec
une arme de poing pour vous demander
des comptes. Lui aussi est persuadé que
vous avez tué Farid. On va vous laisser
quelques minutes pour réfléchir. Pendant
ce temps, le lieutenant Delgado va informer la juge d'instruction de l'avancée de
l'enquête.

Caradec sortit de la pièce avec Ann. Ils
se placèrent derrière la glace sans tain.
Elle était encore sous le coup de l'information.

— Comment a-t-il pu faire une erreur
aussi grossière ? Je ne peux pas croire que
la même personne ait pris tant de mal pour
ne laisser aucune trace dans les assassi-
nats de nos collègues. Ce ne peut être lui !
Qu'est-ce que tu en penses ?

— Ce type est un voyou des quartiers.
Il réagit au coup de sang : « tu me voles,
je te flingue ». C'est évident, il aurait été
incapable de tuer nos collègues et Farid

avec une telle application dans la mise en scène.

— Alors, cette trace sur le sac ? C'est bien lui pourtant !

— Il doit y avoir une autre explication. De plus, son contentieux avec la cité des Lauriers était tellement connu qu'il aurait réglé le problème en prenant des hommes de main. Pour quelques billets, certains sont prêts à tuer.

— Patron, un nouvel élément. On arrive peut-être au bout de notre traversée du désert !

Santarelli arrivait à grandes enjambées dans le couloir :

— Le portable signalé par Scotland Yard, celui qui a été repéré près de l'hôtel Lambeth North, quelques jours encore et je vais parler dans la langue de Shakespeare...

Ann poussa un soupir et se surprit à avoir la même réaction impatiente que Caradec.

— Santarelli, accouchez !

— Il a borné près de Mérindol.

— Mérindol ?

Ann n'avait jamais entendu parler de cette localité.

— Mérindol, un village dans le Lubéron. Un patelin à l'histoire aussi dramatique que l'enquête qui nous concerne !

La policière britannique n'était pas plus avancée. Pour obtenir plus d'explications, elle chercha le regard de Caradec.

— En 1545, les villageois de Mérindol ont été décimés par une armée de mercenaires sous la bannière du roi François 1er. Ils étaient considérés comme des hérétiques.

Voyant que le commissaire n'irait pas plus loin dans ses commentaires historiques, Santarelli poursuivit :

— Ce portable non identifiable, bien sûr, s'est connecté une seule fois à l'aéroport de Londres Luton. Un coup de fil passé le 13 décembre 2017, à 9 h 53 exactement. Depuis, plus de son, plus d'image !

— Luton, c'est un aéroport à cinquante kilomètres au nord-ouest de Londres.

— Ok, fit Caradec, on scanne les listings des passagers sur deux jours, ainsi que toutes les vidéos à l'embarquement pour Londres Luton. On devrait repérer le gars sur la photo de Scotland Yard.

Le commissaire jeta un nouveau coup d'œil à travers la vitre sans tain.

— Allez, on retourne dans l'arène.

Le visage livide, Le Balafré se raidit à l'entrée des deux policiers.

— Alors, monsieur Souissi, comment votre empreinte a pu se retrouver sur le sac en question ?

— J'ai pas tué Farid ! C'est vrai, j'ai trans-
porté les morceaux de son corps. Mais c'est
tout ce que j'ai fait, rien de plus.

— Si je comprends bien, vous avez servi
de taxi. Des fois que le tueur ne trouve pas
la route pour la cité des Lauriers ! Vous
me prenez pour un imbécile ? Maître, je
pense que vous devriez expliquer à votre
client que sortir des conneries n'est pas la
meilleure des défenses.

Tremblant de tout son corps, Nordine
Souissi laissa échapper sa colère :

— C'est pas des conneries ! Un type m'a
payé pour ramener le corps et le déposer
en pleine cité. Je ne sais pas comment il a
eu mon 06. Je le connais pas. Il m'a proposé 50 000 cash, juste pour faire le transport. Pour faire seulement 80 bornes. J'ai
pas réfléchi. J'ai accepté le deal. J'ai appelé
mon pote Momo.

— Momo ?

— Mohamed Kerbouche. Un frère, j'ai
grandi avec lui.

— Où on peut le trouver ?

— Il a un appart sur le Vieux-Port. Il ne
veut plus revenir dans la cité.

— Ok, on va voir s'il nous donne la
même version. Où on t'a fixé rendez-vous
pour charger Farid ?

— Un village en pleine cambrousse. Je ne me souviens plus du nom.

Caradec envoya un coup d'œil complice à Ann.

— Ce ne serait pas Mérindol ?

— Mérindol, c'est ça ! Un bled à mourir.

— Il faut nous décrire l'homme qui vous a payé.

— Je ne sais plus. Il faisait à peu près ma taille, 1m72, pas très costaud. Il était habillé d'un bleu de travail, ça je me souviens, et il parlait comme un professeur, pas comme un ouvrier !

— Est-ce que tu peux le reconnaître sur ces photos ?

Le lieutenant Delgado lui représenta une planche avec une dizaine de clichés figurant des hommes portant une casquette et dans la même posture. Parmi elles, avait été inséré celui de Scotland Yard.

Souissi regarda attentivement la planche et posa son doigt sur la photo prise par la vidéosurveillance à Londres.

— C'est lui !

— Vous êtes sûr ?

— Sûr, je reconnais la casquette. Elle porte le logo d'un club de rugby, les London Harlequins. Eux, ils en ont dans le short.

Ann réagit devant cette déclaration en échangeant un nouveau regard avec Caradec.

— Ok, on va vous organiser une seconde visite de ce « bled à mourir ». Vous allez nous montrer où ça s'est passé. Au retour, on avise le magistrat pour obtenir une prolongation de votre garde à vue et, après une visite du médecin, on fera la confrontation avec Momo.

Souissi donnait des signes de fatigue. Il croisa les bras en se redressant contre son dossier. Caradec donna un ordre au gardien à l'extérieur, pour remettre le gardé à vue en geôle. L'enquête venait soudainement de prendre de la vitesse. Les investigations des polices britannique et française convergeaient sur un lien sérieux : le village de Mérindol !

— Ann, tu as réagi en l'entendant parler de ce club de rugby, pourquoi ?

— Nous surveillons une bande de jeunes d'extrême droite depuis plusieurs semaines. Ils se réunissent dans un bar où se situe le fan club des London Harlequins. Il n'y a aucun lien entre le club et les Killing Cops, cette bande de nostalgiques du IIIe Reich. Ils profitent de la forte fréquentation du pub pour s'y rencontrer discrètement.

— Les Killing Cops ? Tuer des flics ! L'extrême droite est pourtant culturellement favorable aux forces de l'ordre.

— Oui, jusqu'au jour où tu démantèles leurs mouvements. Là, tu bascules dans le camp ennemi. On les a déjà dissous. Ils se sont reconstitués sous ce nouveau sigle.

— Ils sont déjà passés à l'acte ?

— Non. Mais on se demande si le groupe n'est pas responsable de la mort de James. John Brian, leur leader, avait fait surveiller notre collègue. On a des clichés qui le prouvent.

— Ça suffit pour le serrer !

— Pas chez nous ! Il nous faut des éléments matériels plus solides. Ils prennent régulièrement des policiers en photo qu'ils postent sur les réseaux sociaux. C'est une façon de griller les surveillances éventuelles des militants.

— De toute façon, l'homme reconnu par Souissi n'est pas John Brian, on est d'accord ?

— Bien sûr, pas d'erreur possible. Brian est de grande taille, il est brun, assez beau gosse.

— Et puis n'oublie pas que notre suspect est français. S'il avait eu un accent britannique, notre gardé à vue l'aurait mentionné.

— Ok, mais cette mouvance cherche à avoir des ramifications en Europe et des relais où établir des liens avec d'autres mouvements de même tendance. Le tueur de Mérindol est peut-être de ceux-là !

30

L'eau gouttant sur son torse nu lui avait fait reprendre connaissance. Plus que le froid, un mal de crâne puissant le tenaillait depuis son réveil. Des sangles en cuir retenaient tous ses membres et l'empêchaient de bouger. Qui l'avait allongé sur cette table d'opération ? Pourquoi avait-il un casque intégral sur la tête ? Il perçut des vibrations un peu comme celles que l'on peut ressentir au passage du métro. Et ce bruit intermittent revenait sur un rythme comparable à celui des rames de l'Underground.

Malgré la pénombre, ses yeux distinguaient un plafond de roche humide où le calcaire se déposait par plaques. Depuis combien de temps était-il là ? Michèle devait sûrement s'inquiéter, son service aussi. Il n'avait aucun doute sur leur capacité à le localiser. Or celui ou ceux qui le séquestraient ne devaient pas avoir envie d'être repérés.

Il discerna nettement le bruit d'un pas lent. La personne qui se rapprochait semblait prendre du plaisir à imaginer l'attente insupportable de sa victime. Puis le visage de Patterson s'écrasa contre la visière de son casque. Il reconnut parfaitement le psychopathe malgré son nez aplati sur le plexiglass.

— Perkins, mon cher Perkins, excusez-moi de ne pouvoir vous serrer contre moi !

Patterson brandissait ses bras amputés. Il ne portait pas ses prothèses. Une mise en scène au cordeau, comme à son habitude.

— Le réveil n'a pas été trop difficile, au moins ? Je ne suis pas anesthésiste, je ne suis qu'un modeste chirurgien. Je sais à quoi vous pensez. Il est incapable de me sangler dans son état. Qui l'a aidé à me fixer sur cette putain de table, il doit avoir un complice ?

Il s'éloigna pour actionner une caméra placée sur un trépied. L'appareil était connecté à un dispositif de déclenchement avec le pied.

— Je voudrais que votre protégée, comment s'appelle-t-elle déjà ? Ann, c'est vrai. Ma mémoire me joue des tours. Donc je voudrais l'inviter à notre petite sauterie ! Je fais partie de ses contacts privilégiés sur Snapchat, vous êtes au courant ? Suis-je bête ! Comment va-t-elle vous reconnaître avec le casque ?

Perkins le situait grâce au son de sa voix. Il ne devait pas intervenir, connaissant l'instabilité émotive du personnage. Dans un moment de frustration, il serait capable de passer à l'acte sans la moindre hésitation et, une fois l'adrénaline redescendue, pourrait regretter de ne pas avoir tiré profit de la séquestration du policier.

— Là, c'est mieux comme ça, on reconnaît votre bouille de quasimodo.

Il se dirigea vers l'objectif de la caméra pour faire les derniers réglages.

— Perkins, je vous trouve bien silencieux. On n'est pas bien tous les deux, loin de tous ces parasites sociaux qui nous entourent ? Nous sommes les seuls à avoir compris que le monde n'est composé que de prédateurs et de proies.

— Je sais une chose. Vous vous êtes fait voler la mort de James par un être encore plus nuisible que vous !

Patterson revint vers Perkins pour lui parler à l'oreille :

— Attention à ne pas me pousser à bout. Tu sais combien je peux être dangereux...

Il respira profondément.

— ... Voilà, je suis calme. Nous sommes entre personnes de bonne compagnie, n'est-ce pas ? Sans moi, le prédateur dont vous parlez ne serait jamais arrivé à ses fins ! Mais vous aviez déjà deviné.

Les souvenirs dans la tête de Perkins se bousculèrent. Il était parti tard du service sur une excellente nouvelle. Ann lui avait expliqué que le téléphone suspect avait émis dans le sud de la France, et que son utilisateur avait cherché à réserver une place sur un vol pour Luton. Il avait donc donné des consignes pour obtenir la liste des passagers à l'arrivée, sur les deux jours précédant la mort de James.

Puis il avait sauté dans un taxi. Michèle devait l'attendre dans un restaurant, pas trop loin de la maison. Il s'agissait de fêter l'anniversaire du jour où ils s'étaient installés ensemble. Les gens non mariés fêtent souvent le jour de leur rencontre. Dans leur cas, cela serait revenu à fêter la mort du mari de Michèle. En pensant au petit cadeau qu'il avait caché dans le salon, il ne s'était pas aperçu que le chemin pris par le taxi l'éloignait de sa destination. À un moment, revenu à la réalité, il en avait fait part au chauffeur :

— Vous ne croyez pas qu'il y a plus court pour aller à Brockwell Park ?

L'homme lui avait jeté un regard furtif, presque apeuré, dans le rétroviseur.

— Je ne travaille que depuis quelques jours. Je n'ai pas encore une bonne connaissance de la ville. Je n'en connais que les grands axes.

Il en avait même plaisanté avant de repenser à l'enquête sur la mort de Peter James :

— Bon, si on ne fait pas un crochet par Liverpool, ça me va !

Ensuite le taxi s'était engagé sur les docks sans qu'il y prête attention, avant de piler d'un coup sec. Il avait relevé la tête trop tard. Un homme avait ouvert la portière en le menaçant de son arme. Il n'avait pas eu d'autre choix que de sortir les mains en l'air, jusqu'au trou noir...

— Perkins, vous aviez deviné le petit rôle que j'ai joué pour que votre collègue quitte ce monde le plus sereinement possible ?

Dans un mouvement de rage, le policier essaya de se redresser. Mais les sangles le plaquaient contre la table.

— Je sais la pourriture au fond de ton cerveau !

Piqué au vif, Patterson hurla de toutes ses forces. L'écho de sa voix fut renvoyé par la voûte rocheuse. Revenu de cet excès d'humeur incontrôlée, il s'exprima de nouveau calmement :

— Perkins, je sais que vous me prenez pour un fou. Je ne le suis pas, de l'avis des plus grands psychiatres de ce pays. Sinon comment m'auraient-ils autorisé à sortir ? À la faveur de leur diagnostic médical, j'ai pu préparer ce petit moment de grâce que nous partageons aujourd'hui.

Patterson tenta d'essuyer des larmes sur ses joues. Sa crise de démence le reprit au moment de se replacer derrière l'objectif.

— Allez, on sourit, on ne bouge plus..., et voilà ! Votre collègue devrait recevoir ce message à l'instant. J'aurais pu joindre un commentaire. Mais je fais toujours dans la sobriété. Je vais vous laisser un moment. J'aurais aimé pouvoir abréger vos souffrances, mais je ne décide plus tout seul. J'ai des amis maintenant. Vous êtes obligé de me partager avec eux. Et puis j'ai ma mère. Je l'oubliais celle-là ! Elle n'a plus sa tête, la pauvre !

Il s'éloigna et se retourna en croyant plaisanter :

— Ne bougez surtout pas, je reviens !

31

Si la mission n'avait pas été de retrouver l'endroit où Bellabes avait été tué et mutilé, ils auraient certainement apprécié la beauté du paysage sous leurs yeux. Le mistral avait chassé les nuages, laissant le soleil caresser les vieilles pierres du village. Le convoi des véhicules de police venait de franchir l'entrée de Mérindol. Caradec était au volant et Ann, à ses côtés, suivait le trafic radio entre les équipages. Souissi était sous bonne garde dans une autre voiture juste derrière.

Arrivé au centre du bourg, le cortège stoppa. Les enquêteurs de la Crime et de la DIPJ mirent pied à terre. Les hommes encadrant le gardé à vue se rapprochèrent. Caradec chaussa des lunettes de soleil et s'adressa à lui :

— Bon, j'espère que la mémoire vous revient. On vous suit.

— Là-bas, juste derrière la fontaine, on a garé le 4x4.

Ils marchèrent jusqu'à la façade d'une vieille demeure apparemment en état d'abandon. Le lierre en avait envahi les murs jusqu'au toit. Nordine Souissi s'arrêta devant la porte.

— C'est ici, j'en suis sûr ! D'ailleurs, il doit y avoir des traces d'huile du moteur de notre voiture. Là, regardez !

Une tâche de graisse avait imprégné le gravier.

Un policier frappa à la porte d'entrée, sans réponse. Caradec fit un signe de tête au chef de la BRI qui plaça ses hommes pour ouvrir en force. La colonne s'engouffra dans le couloir. Munis de leurs lampes torches, les policiers inspectèrent rapidement les lieux avant de constater que la maison était vide. Caradec ressortit et donna ses ordres à deux enquêteurs :

— Vous contactez la Mairie pour savoir qui est le propriétaire des lieux.

Un des OPJ présenta deux personnes qui attendaient un peu plus loin sur la place.

— Ces messieurs faisaient des travaux pour le Conseil départemental. Ils veulent bien nous servir de témoins pour la perquisition.

— Bonjour, je suis le commissaire Caradec. En l'absence du propriétaire des lieux, nous sommes obligés de vous requérir. Je ne peux pas vous dire combien de temps cette opération durera.

Les deux hommes acquiescèrent d'un hochement de tête.

Les policiers de la BRI avaient ouvert les fenêtres pour faire entrer la lumière du jour. Souissi, toujours sous bonne garde, commenta :

— Je ne suis pas allé au-delà de cette salle. L'homme à la casquette m'attendait ici. Lorsque j'ai vu le corps décapité de Farid, j'ai vomi dans le coin de la pièce, là-bas. Il m'a dit que la tête se trouvait dans le sac à ses pieds. Avec Momo, on n'a pas cherché à comprendre. On a chargé le tout dans le coffre. Puis on est revenu dans la pièce. Il nous a tendu une boîte à chaussures bourrée de billets de 200 euros.

— Les 50 000 promis ?

Il regarda Caradec, les mains toujours menottées dans le dos.

— Oui. Mais…

— … mais quoi ?

— J'ai voulu faire monter les enchères ! J'ai sorti mon arme et je lui ai demandé le double. Alors, il m'a montré une petite caméra posée sur un tabouret. Il m'a expliqué que nous étions filmés et que les images étaient renvoyées sur son Cloud. Il m'a dit que si on le tuait, le Cloud était programmé pour mettre la vidéo en ligne sur les réseaux sociaux. Il a précisé qu'il en annulerait la programmation, une fois que l'on aurait rempli notre mission. Ses mots résonnent encore dans ma tête : « Seulement si vous allez au bout ! Ne vous inquiétez pas, je le saurai. »

Il resta un moment silencieux. Caradec le laissa reprendre ses esprits.

— On s'est barré. Ce type était complètement fêlé. Je l'ai vu dans ses yeux. Quand je l'ai braqué, il souriait comme s'il était prêt à mourir. On a pris les sacs et on les a chargés dans le coffre. J'ai démarré plein gaz.

— Il faudra se rappeler de tout ça pour la reconstitution avec la juge.

— Y'a pas de risque. C'est gravé à jamais dans ma mémoire.

— Patron, venez voir, s'il vous plaît !

Caradec et Ann se déplacèrent dans la pièce où l'Identité judiciaire avait commencé ses investigations.

— On a localisé des traces de sang sur une surface d'au moins deux mètres carrés

L'agent de l'IJ balaya à la lumière bleue l'endroit repéré.

— Il n'y en a que là. Ce qui laisse supposer que la victime a été tuée et découpée dans ce coin de la salle. L'opération ne s'est pas faite par terre. Le corps devait être placé à plus d'un mètre du sol. Le sang a éclaboussé le carrelage. Vous voyez, les taches partent du centre vers l'extérieur.

La démonstration de la spécialiste des scènes de crime était claire. Tout avait été organisé soigneusement, et le décor avait été remballé comme au théâtre. Sauf que là, le meurtre était bien réel.

Ils décidèrent de monter à l'étage déjà passé au peigne fin par les membres de la brigade criminelle. Une armoire en bois massif occupait le mur du fond, des chaises en osier étaient dispersées dans la pièce carrelée... Ces meubles abandonnés rappelaient que cette maison avait été habitée. À l'exception des couches de poussière et des toiles d'araignée, l'armoire était vide.

— Chez un antiquaire, bien restaurée, cette armoire peut valoir quelque chose. Pour nous, malheureusement, elle n'a aucune valeur. On n'a rien à se mettre sous la dent, ni traces ni ADN.

L'enquêteur cachait mal sa déception, en faisant son rapport à Caradec. Celui-ci s'approcha pour ouvrir le meuble d'époque :

— Il y avait une armoire identique chez mes grands-parents. Enfant, je m'y cachais souvent. Habituellement, elles sont conçues avec un double fond. Les voleurs de passage n'étaient pas rares.

Après avoir enfilé des gants en latex, il se baissa pour soulever une planche dans la partie basse du meuble, et dégager une cavité insoupçonnée contenant des objets emballés dans un drap. Une bougie, un chandelier à une branche, une bible avaient été déposés dans le fond.

— Nous y sommes ! Ils ont servi à représenter le symbole vu sur YouTube. Celui qui a voulu les cacher n'a peut-être pas été assez vigilant. Demandez à l'IJ de vérifier s'il n'aurait pas laissé quelques traces, là aussi.

Ann n'avait pas assisté à cette découverte importante. Elle s'était arrêtée dans l'escalier pour lire un message de Terminus, le pseudonyme de Patterson. Le maniaque se manifestait à nouveau. Savait-il qu'elle enquêtait en France ? Il était bien capable d'avoir obtenu cette information. Il lui envoyait un fichier de photos que pour le moment, elle ne pouvait ouvrir. Elle rejoignit Caradec :

— Alors, tu as trouvé quelque chose ?

— Une bougie, un chandelier et une bible, comme par hasard. Ces objets doivent représenter quelque chose de sacré pour lui, une valeur symbolique qui devrait nous permettre d'interpréter les tatouages. Cette maison n'était pas qu'une planque de passage. Il comptait bien y revenir. Peut-être y a-t-il vécu quelque temps ? L'enquête de voisinage le précisera. On rentre au service, il est temps de faire le point avec la juge.

Ann, intriguée, avança vers le mur et passa sa main sur une tache où la chaux était plus claire. Cette légère pression actionna le mécanisme d'ouverture d'une porte dérobée. Dans un couloir poussiéreux et sombre, Caradec s'engagea le premier suivi par Ann et les techniciens de l'IJ. Ils avaient bien failli passer à côté de cette découverte. Dans un vaste bureau, surpris, ils découvrirent à la lueur de leur téléphone, un ensemble d'organigrammes illustrés de clichés photographiques. Après quelques secondes sans voix, Caradec réagit le premier :

— Le rapport entre nos victimes doit se trouver sous nos yeux !

Sur les photos, les policiers reconnurent nettement James, Martinez et Bellabes.

— Notre homme a suivi scrupuleusement ses cibles dans leur vie quotidienne. On les retrouve dans des endroits différents.

— Comme s'il avait eu besoin d'établir un lien affectif virtuel avec elles.

— Et sur une longue période, si j'en juge par les dates sur les clichés. Leurs vies et leurs origines lui étaient devenues familières.

— Pour avoir pris le soin de noter tous ces détails, avait-il peur de faire une erreur de ciblage ?

— Je ne crois pas, il les a observées suffisamment longtemps pour savoir à quel moment ses victimes seraient les plus vulnérables, un peu comme un animal qui rôde autour de sa proie.

Caradec repéra d'autres panneaux :

— Il a même établi leurs arbres généalogiques soigneusement reportés à la main.

— Je rêve, il est remonté jusqu'en 1545. Qu'est-ce que tu lis au-dessus de l'arbre généalogique de Bellabes ?

— Je pense qu'il a écrit MAURES. Pour lui, le jeune décapité devait descendre de populations mauresques restées en France depuis le VIIIe siècle.

Sous chaque lignée généalogique, le mot MERCENAIRE était mentionné en gras. Caradec s'adressa aux membres de l'IJ :

— Vous me passez au crible tout ce coin. L'homme qu'on recherche a dû fantasmer dans ce refuge pendant des heures. Impossible qu'il n'ait pas laissé au moins une trace.

Il se retourna vers Ann qui prenait des photos avec son smartphone :

— Je crois qu'on en sait assez pour avancer que notre homme a fait une fixation morbide sur ses victimes. Un contexte et une intrigue historiques sont la clé de l'énigme. À nous de les trouver !

Dans la voiture, Caradec resta silencieux. Il n'avait pas souvent eu à démêler des affaires de serial killers. Si ces personnages inondaient les séries policières, dans la vie ces malades étaient beaucoup moins nombreux. Il pressentait que celui qui avait tué à trois reprises déjà, préparait un prochain passage à l'acte. L'être déviant qui défiait la machine judiciaire n'obéissait pas qu'à des pulsions désordonnées. Un fil conducteur supérieur le guidait.

Caradec eut la certitude que le criminel se pensait investi d'une mission. Une sorte de commandement mystique armait son bras. Mais pourquoi ne se contentait-il pas de tuer ses victimes ? Pourquoi devait-il aussi profaner leurs chairs ? Par plaisir sadique ?

D'ailleurs, si cette jouissance perverse en était l'élément moteur, Martinez aurait dû subir le même sort. Or son corps avait été préservé. Avait-il été saigné seulement pour lui éviter une dégradation physique ? Cette différence de traitement devait forcément obéir à une logique. Est-ce que le tueur connaissait personnellement Martinez, contrairement à Peter James et à Farid Belabbes pour lesquels il n'avait eu aucun respect ? Il ne pouvait pas croire que ses

victimes aient été choisies au hasard. Un
lien les unissait, mais l'une d'entre elles,
Martinez, avait bénéficié de « faveurs ».

— Shit !

Ce juron populaire anglais le tira de ses
réflexions. Livide, Ann tremblait en tenant
du bout des doigts son téléphone.

— Qu'est-ce que tu as ?

— Patterson, cette pourriture abjecte...,
mon chef !

Sous le choc, elle s'exprimait difficile-
ment. Elle était anéantie par la découverte
des images envoyées par Terminus. Son
collègue, son père de substitution, était
prisonnier, retenu par des sangles de cuir
sur une table.

— Calme-toi, je ne comprends rien !

— Regarde !

Caradec se gara sur le bas-côté de la
route et prit le téléphone :

— Cet endroit te dit quelque chose ? On
dirait que ça se passe sous terre, dans une
grotte peut-être, je devine de la roche.

— Il ne nous aurait pas donné la chance
de reconnaître les lieux ! Ça doit être un
endroit où personne ne va.

— Qui est ce Patterson ?

— Un serial killer qu'on n'a jamais réussi à
impliquer judiciairement. Sa spécialité, tuer
des femmes en les défigurant pour venger

sa mère. Le juge avait lui aussi une intime
conviction, mais cela n'a pas été suffisant.
Terminus a été interné dans un hôpital psychiatrique d'où il est ressorti après avis favorable d'experts. Il était chirurgien à l'hôpital
où le fœtus a été acheté. Pour faire croire
à son « innocence », il a poussé sa folie à
se faire amputer des mains. Cependant, il a
probablement un lien avec notre tueur.

C'était la première fois qu'Ann perdait le
contrôle de ses émotions. Elle aimait sincèrement, de façon filiale, ce Perkins qui
lui avait tout appris. Il l'avait choisie pour
qu'elle lui succède à la tête de son service.
Il avait tellement confiance en elle qu'il lui
aurait confié sa vie si elle avait été menacée. Le Superintendent n'avait pas d'enfant.
Ann savait que, d'une certaine manière, elle
comblait ce vide. Aujourd'hui, elle était au
pied du mur. Comment réussir à l'arracher
des mains de l'homme le plus dangereux
qu'elle ait eu à connaître, sans risquer que
Terminus ne l'élimine ?

— Il faut que je rentre !

— Ann, je comprends ta réaction, mais
tu lui seras plus utile ici. C'est d'ici que
l'on pourra neutraliser ces deux monstres.
Patterson a rencontré son maître dans l'horreur. Il est dominé. Et ce « maître », étalon
de la folie humaine, se cache quelque part

dans la région. Avise tes collègues. Ils vont tout mettre en œuvre pour le retrouver. Fais localiser son portable. Londres est truffée de caméras, c'est bien le diable si vous ne retracez pas son parcours. Je crois que ton Patterson agit sur ordre. Il ne touchera pas à un cheveu de ton chef tant que le tueur de Mérindol, comme tu l'appelles, pensera qu'il est plus utile vivant que mort. Son but est de nous déstabiliser. Il a dû apprendre ta mission. Il sait que tu te précipiteras à Londres pour Perkins. Il a besoin de poursuivre son œuvre, et nous sommes le caillou dans sa chaussure. Ne lui fais pas ce plaisir !

Ann s'était ressaisie. Les conseils de Caradec lui faisaient du bien. Elle n'était pas seule.

— Tu as raison, mais c'est dur !

— La question est de savoir qui l'a aidé à séquestrer Perkins ? Seul, sans ses mains, il ne risquait pas de le maîtriser, l'enlever et le ligoter.

— Je vois bien John Brian complice de Patterson. Les deux ont pu trouver un intérêt à s'associer.

— En tout cas, ce n'est pas notre tueur. Celui-ci était trop occupé à supprimer un gamin des quartiers Nord de Marseille.

Caradec redémarra pendant qu'Ann contactait Scotland Yard.

32

En se rendant chez la juge Raynaud au palais de justice, Caradec croisa le procureur de la République.

— Commissaire Caradec, on ne peut pas dire que vous nous faites perdre du temps en nous rendant souvent visite !

Cordial, celui-ci arbora un franc sourire :

— Monsieur le procureur, je suis un homme discret. Mes adjoints vous tiennent régulièrement au courant de l'enquête, rassurez-moi ?

Au fond, le magistrat du TGI de Marseille appréciait ce flic à l'esprit subtil et dont la modestie n'était pas feinte.

— Tout à fait, pas de problème. Je vous suis, pas à pas. La juge d'instruction que j'ai saisie est une excellente professionnelle. Elle instruit parfaitement tous les éléments visés dans mon réquisitoire.

— Je ne la connais encore que par téléphone. Je vais la rejoindre de ce pas dans son bureau.

— Eh bien, je vous laisse faire connaissance, et je suis certain que vous éluciderez ensemble cette affaire.

Devant la porte du magistrat, Caradec n'eut pas besoin de frapper, un greffier qui en sortait le laissa pénétrer dans les lieux.

La juge se leva pour l'accueillir :

— Commissaire, depuis le temps que j'entends parler de vous ! Le spécialiste parisien de la Criminelle !

— À Paris ou ailleurs, les enquêtes se traitent de la même manière.

— En tout cas, on ne vous a pas laissé de répit. Et on ne peut pas dire que vous ayez été privilégié avec sur les bras l'énigme de la mort de votre prédécesseur. Prenez place, s'il vous plaît.

La juge Raynaud avait la réputation d'une femme de caractère. Grande brune à l'œil perçant, on voyait vite qu'elle savait ce qu'elle voulait.

— Je ne vous cache pas, commissaire, que notre affaire m'inquiète. Par le nombre de victimes et par le niveau des atrocités perpétrées. Ce qui me gêne le plus, c'est qu'on n'a toujours pas de mobile. Deux policiers et un dealer des quartiers, une scène de crime à l'étranger, ce n'est pas banal !

— Pour moi, madame la juge, le mobile est sous nos yeux, mais on ne le voit pas.

Aussi différentes soient-elles, les victimes partagent un point commun, le symbole laissé par le ou les assassins comme une signature. C'est lui le lien et le mobile !

— À propos de ce signe, une expérience personnelle. À l'époque où je passais mon Master de droit à la faculté d'Aix-en-Provence, j'avais écrit un mémoire sur le Parlement d'Aix au XVIᵉ siècle.

Elle saisit un document relié sur son bureau.

— Comme sujet, j'avais choisi « Le pouvoir de police des cours de justice ». En 1545, le président de ce Parlement, Jean Maynier, baron d'Oppède, s'est distingué plus que les autres en ordonnant avec zèle le massacre de populations entières.

Caradec avait entendu parler de cette histoire. Il connaissait depuis peu un de ces villages qui avaient subi cette vengeance, Mérindol. Il la laissa poursuivre :

— L'Église de Rome était menacée par des populations du sud de la France, prônant une nouvelle lecture des évangiles en rupture avec le catholicisme. On les appelait les Vaudois, du nom de leur leader Pierre Valdo ou Valdes, un des précurseurs de la Réforme. Il défendait les valeurs du dénuement dans la foi en opposition à la richesse des cardinaux. Aujourd'hui, on trouve encore une émanation des Vaudois en Italie.

— Je vois. La bougie et son expression latine « la lumière luit dans les ténèbres », seraient donc l'emblème des Vaudois.

Elle ouvrit son mémoire et lui montra l'illustration reprenant le symbole.

Caradec se leva comme s'il était dans son bureau. La juge le regardait, légèrement amusée.

— Supposons que notre tueur en série soit un nostalgique de Pierre Valdes, que reprocherait-il à ses victimes six siècles plus tard ? Dans ce cas, qui peut-il être ? Un professeur ou un amateur d'histoire, un nostalgique de spiritualités révolues ? Ou tout simplement un malade ?

— Nous savons qu'il a installé son centre de torture, si je peux m'exprimer ainsi, dans une vieille bâtisse de Mérindol, et qu'il recourt aux représentations vaudoises.

Le portable de Caradec se mit à vibrer. Il jeta rapidement un coup d'œil sur le message envoyé.

— Ann, ma collègue britannique, m'informe que le sang relevé à Mérindol est bien celui de Farid Belabbes.

— Mérindol était donc son QG situé dans un haut lieu de souffrance vaudoise.

Caradec se retourna, un sourire en coin.

— Je fais confiance à notre assassin pour en trouver un autre.

— Très bien, je prolonge la garde à vue de Nordine Souissi et j'envoie une CRI à Londres pour disposer de l'intégralité de leurs investigations. Je veux en savoir plus sur ce Patterson, et sur le rôle qu'il a pu jouer aux côtés du tueur de Mérindol. J'espère qu'ils vont l'interpeller rapidement, avant qu'il finisse par se venger sur ce policier de Scotland Yard

— Ok, je vous tiens au courant, cela va de soi.

En repartant, Caradec se rappela les propos de son directeur Marciac parlant d'Arnal comme d'un grand amateur d'histoire. Fallait-il le réintégrer dans la liste des suspects après avoir invalidé cette hypothèse ?

33

Inquiète, Ann attendait impatiemment une réponse de son service depuis qu'elle avait relayé le fichier photo de Terminus. Elle avait stoppé la diffusion d'un avis de recherche. Elle ne voulait pas provoquer son passage à l'acte en affolant Patterson. Même sous la domination d'un mentor, son désordre mental pouvait être incontrôlable. À distance, elle se sentait impuissante. À contrecœur, elle s'était ralliée aux conclusions du commissaire de la Brigade criminelle de Marseille. Le dénouement de cet opéra tragique se situerait dans le sud de la France où le chef d'orchestre était tapi, attendant de cibler sa prochaine proie.

Etait-ce un jeu pour lui ou le fruit d'une perversion avec jouissance sexuelle comme pour Patterson ? Souffrait-il de pulsions de meurtre irrépressibles ? Ann espérait que ce monstre avait conservé un minimum d'humanité et de sensibilité, non pour lui pardonner l'extrême souffrance infligée,

mais parce que cette faiblesse pourrait plus
facilement entraîner sa chute.

Michèle avait passé toute la nuit dans les
locaux de Scotland Yard qu'elle ne voulait
pas quitter tant que Perkins ne serait pas
retrouvé. Le directeur du service n'avait
pu humainement l'éloigner, bien qu'il lui
ait fortement recommandé de rentrer chez
elle. Elle ne supporterait pas de vivre un
nouveau deuil. Quelle faute avait-elle com-
mise ? Elle se sentait responsable, sans
savoir pourquoi exactement. Elle ne pouvait plus compter que sur l'énergie et l'instinct de survie de ce compagnon qui l'avait
soutenue au moment où elle sombrait dans
la dépression.

Elle lisait dans les yeux des collègues
de Perkins la détresse de savoir leur chef
entre les mains de ce malade mental. Elle
avait contacté la veuve de Peter James,
seule susceptible de comprendre ce qu'elle
endurait. Ce moment d'échange intense et
pudique lui avait redonné la force de se
battre. Laura, courageuse, méritait le respect. Elle puisait son énergie dans l'espoir
de voir un jour le meurtrier de son mari
expier sa faute et purger sa peine au fond
d'une geôle. Elle-même n'abandonnerait

pas tant qu'un souffle de vie animerait le courage de Perkins.

— Alors, bordel, on en est où ?

Le vernis d'éducation du directeur de Scotland Yard, connu pour son langage mesuré, venait de s'écailler. Il ne s'agissait pas de l'avenir de sa carrière, mais de la vie d'un de ses hommes qui ne tenait qu'à un fil. Il avait aussitôt informé le ministre. Ce Patterson était bien capable de communiquer sur son méfait pour se faire une réputation nationale.

Un des patrons de Scotland Yard pris en otage, cela ne s'était encore jamais vu, impensable !

Sans rançon demandée en échange ? Seulement pour plomber une enquête en cours ? Comment expliquer à l'opinion le ressentiment morbide de ce psychopathe envers Perkins ? La hiérarchie policière avait suivi les préconisations d'Ann devenue chef de la brigade par intérim : garder l'information confidentielle.

— Monsieur le directeur, on a requis les opérateurs téléphoniques pour localiser le portable du Patron.

— Qu'est-ce que ça donne ?

— Il faut un certain temps !

— Dites-leur qu'il y a urgence absolue.

— Sur les caméras de la ville, on voit bien Perkins sortir du service et prendre un taxi. Mais le brouillard était tellement épais qu'on ne distingue pas la plaque d'immatriculation. On le suit jusqu'à Piccadilly Circus. À cette intersection, on le perd dans le flot de la circulation.

— On est maudit, c'est pas possible !

— Pas sûr, monsieur ! Un de nos enquêteurs qui avait travaillé sur le métro, pense que le lieu de détention pourrait être une des galeries parallèles au tracé, galeries creusées pour entreposer du matériel lors du chantier de construction.

— Il y en a combien de ce type, et sont-elles répertoriées ? Autant chercher une aiguille dans une botte de foin !

— La société « Transport For London » en décompte une vingtaine et en conserve des plans détaillés. Ils nous ont proposé de les vérifier dès demain matin, à la première heure.

— Combien de temps leur faut-il pour les contrôler toutes ?

— Deux jours maximum.

Le directeur haussa les épaules :

— Espérons que cela sera suffisant pour retrouver Perkins vivant !

34

Ann essayait de suivre Caradec qui remontait rapidement la Canebière. La confrontation de Souissi et de Mohamed Kerbouche avait confirmé la version initiale. Les deux individus avaient été déférés devant la juge Raynaud. Puis le juge des Libertés les avait placés en détention provisoire sur demande du Parquet.

— Je me demande combien la région compte de spécialistes de la période vaudoise.

— Tu penses que l'un d'entre eux pourrait être le tueur de Mérindol ?

— Ce serait le profil idéal. Un professeur, un chercheur pourrait s'être tellement imprégné de cette époque qu'il aurait fini par s'identifier à l'un de ces héros !

Ils poussèrent la porte d'une librairie spécialisée dans les ouvrages historiques.

Ann repéra vite un livre intitulé *Le massacre de Mérindol*. À l'intérieur, une fiche indiquait que l'auteur vivait au Canada.

— Je peux vous aider ?

— Effectivement, fit Caradec. Nous nous intéressons à la période vaudoise du début de la Renaissance. Connaîtriez-vous un spécialiste du sujet qui vivrait sur Marseille ou sa région ?

— Le livre que vous tenez dans la main est un ouvrage de vulgarisation. Si vous cherchez des renseignements plus approfondis avec documents d'archives, prenez plutôt celui-ci. L'auteur est professeur à l'Institut de la Méditerranée, un établissement connu à Marseille.

Le symbole vaudois figurait sur la quatrième de couverture. Caradec se dirigea vers la caisse pour payer.

— Vous avez eu des commandes récentes sur cette thématique ?

— Dernièrement, non. Ici les gens pensent bien connaître l'histoire de leur région. Ce n'est malheureusement pas souvent le cas.

Une fois dans la rue, Ann jeta un coup d'œil inquiet sur sa messagerie.

— Pas de nouvelles !

— Laisse-leur le temps !

— Je vais rentrer au service pour voir s'ils n'ont pas transmis d'autres informations.

— Ok, moi, je fais un saut à l'Institut. Je vais marcher un peu.

La Canebière ne ressemblait plus à celle de sa jeunesse, et encore moins au décor de la chanson qui avait immortalisé cette artère marseillaise. Caradec ne mit que quelques minutes pour rencontrer le professeur spécialiste à la sortie de son cours.

— Commissaire Caradec. Un maniaque laisse derrière lui ce type de symbole qui figure sur la quatrième de couverture de votre livre que je viens de me procurer !

Il le lui présenta. Le professeur sembla troublé :

— C'est le symbole de reconnaissance des Vaudois. Traitant du sujet, il est normal que je mette ce symbole en illustration. Mais il n'est plus utilisé depuis des siècles, surtout pas pour faire le mal !

Des gouttes de sueur perlaient à son front. Un malaise l'envahissait.

— Professeur, je sens que vous voulez me dire quelque chose.

— L'année dernière, j'ai été en contact avec un type qui m'a quasiment harcelé. Il intervenait dans mes cours sans autorisation. À plusieurs reprises, j'ai dû le faire sortir en appelant les vigiles. Puis il s'est mis à m'envoyer des mails incessants.

— Quels types de mails, des menaces ?

— Pas vraiment. Il me reprochait de n'être qu'un intellectuel pleurant sur le sort des suppliciés sans agir. Lui disait vouloir venger leur mémoire.

— Il a précisé de quelle manière ?

— Non, sinon vous pensez bien que j'en aurais informé la police ! Je crois qu'il jouait un rôle pour se donner de l'importance, sans être vraiment dangereux.

— Vous avez conservé ses mails, on peut avoir ses coordonnées ?

— Non, je les effaçais systématiquement.

— J'imagine qu'il n'était pas inscrit à l'Institut ?

— Exact. De toute façon, en raison de son comportement, on l'aurait radié.

— Vous pourriez me le décrire physiquement ?

— Il avait à peu près le même âge que moi, la quarantaine, brun, plutôt dégarni et de taille moyenne.

— Il vous ressemblait pas mal !

— Vous ne me soupçonnez quand même pas ?

— Si c'était le cas, pensez-vous que je vous le dirais ?

— Mais vous suspectez un maniaque qui pourrait être lui ? Qu'a-t-il fait ?

— Je vais vous demander de vous présenter à la DIPJ le plus vite possible. On doit vous entendre dans le cadre d'une enquête criminelle. Vous avez une carte de visite avec vos cordonnées ?

— Oui, tenez.

— Voici la mienne. Si quelque chose vous revenait ou s'il vous contactait dans les prochaines heures, appelez-moi immédiatement. Bonne journée.

Il sortit et prit son téléphone :

— Santarelli, identifiez-moi tous les contacts du professeur Marin de l'Institut de la Méditerranée. Je vous envoie ses coordonnées par SMS. Regardez aussi s'il est connu de nos bases de données. J'arrive.

35

Un bruit mat précéda l'éclatement de la porte d'entrée. L'équipe de Scotland Yard s'engagea rapidement dans un long couloir, déclenchant les pleurs d'un enfant réveillé par l'assaut des forces de l'ordre. La lampe d'un policier éclaira un couple dans un lit. L'homme voulut se lever et fut immédiatement maîtrisé et menotté.

— Ali Akhtar, c'est vous ?

— Oui, c'est moi, qu'est-ce que j'ai fait ?

Particulièrement nerveux et apeuré, l'homme avait du mal à se tenir debout.

— On va vous expliquer tout ça au service.

Les policiers l'installèrent à l'arrière d'une voiture et repartirent en convoi. Toutes sirènes hurlantes, la traversée de Londres ne posa aucune difficulté. La capitale britannique était rarement embouteillée grâce à son péage urbain. Le cortège de véhicules s'engouffra dans le parking souterrain de la Metropolitan Police. Ali Akhtar fut amené directement en salle d'audition.

Inquiet, il observait le ballet des policiers autour de lui.

— Nous sommes le 15 février 2018, il est 10 heures. Les lieutenants Morris et Johnson, en présence de maître Collins, procèdent à l'audition d'Ali Akhtar, suspect dans l'enlèvement du Superintendent Perkins.

En découvrant le motif de son interpellation, le mis en cause hurla :

— Attendez ! Je n'ai rien à voir avec ça, moi ! De quoi vous parlez ?

— Calmez-vous, monsieur Akhtar. Et répondez aux questions. Vous êtes bien employé par la société de taxis *London Drive* ?

— Oui, depuis novembre 2017, mais je ne comprends pas ce que je fais là !

— Le 6 février à 21 heures, avez-vous chargé un client devant la Metropolitan Police ?

— Je prends une bonne dizaine de passagers par jour. Des courses du 6 février, vous comprendrez alors que je ne m'en souvienne pas !

— On va gagner du temps, Ali Akhtar ! Le téléphone de votre passager a été localisé et découvert sous le fauteuil d'un taxi appartenant à la société qui vous emploie. Cette dernière nous a confirmé formelle-

ment que c'était vous qui en étiez le chauffeur à l'horaire indiqué. Qu'avez-vous à
dire ?

— C'est possible ! S'ils le disent !

En lui montrant la photo extraite de la
vidéo du service, le lieutenant Morris lui
demanda :

— Vous reconnaissez l'homme qui monte
dans le véhicule ?

Il éclata d'un rire nerveux.

— Je ne me rappelle pas de la course, et
vous voulez que le portrait de cet homme
me dise quelque chose ? Si je comprends
bien, vous m'accusez de l'avoir enlevé ?

— Pour l'instant, on ne vous accuse de
rien, monsieur. On cherche à comprendre.
L'homme que vous avez chargé est le chef
de la Brigade criminelle. Il a disparu depuis
le 6 février, 21 heures. Son téléphone est
tombé dans votre véhicule, certainement à
la suite d'une lutte. Nous savons qu'il est
retenu quelque part. Est-ce que vous vous
rendez compte de la situation ? Vous êtes
le dernier à l'avoir vu.

Ali Akhtar sembla accuser le coup, prenant la mesure de l'importance de son
client. Il baissa la tête et se mura dans le
silence.

— Si vous avez joué un rôle dans l'enlèvement de ce policier, ce qu'on peut pré-

sumer fortement, vous n'avez pas entrepris
cette course par hasard ! Vous n'avez rien
à déclarer ?

Il restait toujours silencieux.

— Vous savez que si notre collègue
venait à décéder, cela changerait la donne
même si vous n'avez été qu'un pion dans
cette affaire ! Alors, il vaut mieux pour vous
que vous nous disiez ce qui s'est passé ! Le
temps joue contre vous...

Il leva la tête, sans chercher à fuir le
regard du lieutenant :

— On m'a demandé d'attendre un
homme à la sortie de la Metropolitan
Police. On m'avait donné sa photo. Manifestement, il avait l'habitude de prendre un
taxi le soir. Lorsque je l'ai aperçu sortant
de l'immeuble, je n'ai eu qu'à avancer ma
voiture. Il est monté et m'a demandé de le
conduire à Brockwell Park.

Il s'arrêta de parler, effrayé par ses
propres révélations.

— Ensuite ? Visiblement, vous ne l'avez
pas amené à bon port !

— On m'a demandé de le conduire sur
les docks, à l'est de la ville. C'est tout ce que
j'avais comme consigne. En approchant de
la destination, je me suis aperçu qu'une voiture nous suivait. Une autre attendait sur
le site, les phares allumés. J'avais à peine

stoppé le véhicule que des hommes armés ont fait sortir mon client par la force. Ils m'ont payé et je suis reparti. Dans le rétroviseur, j'ai vu qu'ils se dirigeaient vers un entrepôt. Puis j'ai accéléré dans la nuit. Je ne savais pas qui avait été enlevé et ce qu'ils comptaient en faire. Il faut me croire. J'ai fait ça pour de l'argent, uniquement pour payer le passage en Angleterre de mes cousins qui attendent à Calais.

— Vous pourriez nous conduire à l'endroit exact où ça s'est passé ?

— Oui, sans problème.

— L'audition de M. Ali Akhtar est terminée, nous sommes le 15 février, il est 10 h 30.

Le lieutenant mit fin à l'enregistrement.

— Ali Akhtar, vous allez venir avec nous.

36

Comme à son habitude, Santarelli pestait contre quelque chose. Il entra bruyamment dans le bureau de Caradec :

— Pour avoir le Tribunal aujourd'hui, c'est peine perdue, toutes les lignes sont occupées !

— Vous ne vivrez pas vieux si vous vous énervez à chaque fois que vous rencontrez un problème !

— Patron, dans sa déclaration, le professeur Marin se contredit et pas qu'une fois.

— C'est-à-dire ?

— Au début, il vous a expliqué que l'homme qui le menaçait lui était inconnu, qu'il l'avait vu pour la première fois alors qu'il était venu mettre le bordel dans son cours... Sauf que, comme vous, patron, on a du mal à comprendre comment cet homme s'est « démerdé » pour se procurer son adresse mail et le menacer. On a posé au professeur la question qui tue. Là, il a été pour le moins imprécis, en disant tout et son contraire. Il explique qu'il l'aurait rencontré au cours d'une manifestation

culturelle provençale à Forcalquier où ils
auraient pu échanger leurs coordonnées.
Mais sans certitude, sa mémoire lui fait
défaut, le comble pour un historien !
Ensuite, nous lui avons demandé la nature
des menaces exprimées par mail. Réponse
tout aussi vague, il s'agirait de menaces
« menaces voilées ». Je lui ai fait comprendre qu'à la demande de la juge, nous
pouvions le placer en garde à vue et mener
des investigations sur son disque dur,
même s'il en avait effacé ses mails. À ce
moment-là, je l'ai senti assez mal.

— Ok, mais il nous faudrait un élément
plus sérieux pour le placer en GAV.

— On l'a. Je venais vous en faire part.
L'IJ a réussi à révéler l'empreinte d'un doigt
sur le pied du chandelier saisi à Mérindol.
Il se trouve que cette empreinte papillaire
appartient à Marin, empreinte signalisée
l'année dernière, à la suite d'une plainte
de son ex pour violences conjugales. On
trouve les douze points de concordance.

— Je joins la juge Raynaud sur son portable. On le place en GAV. Vous lui notifiez
ses droits, j'arrive.

Quelques minutes plus tard, Caradec
entrait dans la salle d'audition. Le professeur Marin ne paraissait pas aussi maître
de lui que dans son amphithéâtre, malgré

la présence de son avocat. Le lieutenant Delgado préparait la mise en forme du procès-verbal.

— Professeur, nous vous entendons désormais sous le régime de la garde à vue, ce qui veut dire que nous vous suspectons d'avoir commis ou aidé à commettre un délit ou un crime. Notre enquête vise les meurtres de Farid Belabbes et de Philippe Martinez. Nous agissons dans le cadre d'une commission rogatoire.

Marin était devenu blême, ses doigts martelaient la table devant lui. Hébété, il regardait la webcam obligatoire pour les auditions de personnes majeures, en matière criminelle.

— Monsieur Marin, des objets ont été saisis dans une maison de Mérindol dans laquelle au moins un meurtre a été perpétré. Pour plus de précision, la maison perquisitionnée donne sur la place du village. Sur un chandelier en bronze, votre empreinte a été révélée. Avez-vous une explication ? Voici les photos des objets placés sous scellés.

Marin fixa intensément les clichés.

— Alors, qu'avez-vous à déclarer ?

— Je ne sais pas ! Je ne suis jamais allé dans cette maison à Mérindol. Je ne comprends pas. Je suis venu volontairement témoigner sur l'histoire des Vaudois et vous aider dans votre enquête, et on me place en garde à vue !

— Professeur, les circonstances ne plaident pas en votre faveur. D'abord vos empreintes sur cet objet, ensuite vous êtes le plus grand spécialiste de cette époque violente, et vous savez que l'association de ces objets en constitue le symbole. Enfin, vous n'êtes pas cohérent au sujet de menaces dont vous auriez été victime.

— Je n'ai pas menti tout à l'heure. J'ai bien croisé Stéphane lors d'une rencontre occitane. On s'est découvert la même passion pour l'histoire de la Provence.

— Donc, vous connaissez son identité !

— Je ne connais que ce qu'il m'en a dit, et encore s'est-il présenté sous ce prénom. Je ne suis pas flic pour contrôler les gens !

— Continuez !

— Il m'a demandé si je pouvais me procurer un bougeoir de l'époque qui nous intéressait, autour de 1545. Je lui ai dit que je connaissais un antiquaire mais que ça pouvait valoir assez cher pour un objet authentique. Le prix lui était indifférent. J'ai pensé qu'il avait les moyens pour l'acheter. J'ai bien trouvé cette pièce du XVIe siècle chez un ami. Je l'ai remis à Stéphane contre la somme de 5 000 euros.

— En liquide ?

— Oui. J'ai transmis l'argent à l'antiquaire. Vous pouvez vérifier, il a une boutique à Aix-en-Provence.

— On vérifiera. Vous a-t-il dit ce qu'il
voulait en faire ?

— Non, j'ai pensé à une collection. Pour
un amateur d'histoire, ce n'était pas illo-
gique. Mais je vous avoue que nos relations
se sont dégradées.

— Pour quel motif ?

— C'est ce que je vous ai expliqué. Il en
avait contre les intellectuels comme moi
qui n'en font pas assez pour réhabiliter la
mémoire des Vaudois morts en martyrs.

— Dans le cadre de vos relations, est-il
venu chez vous ?

— Jamais. Je suis très méfiant.

— Vous allez réfléchir et nous dire ce
que vous faisiez les 20 décembre 2017 et
25 janvier 2018. Ces dates correspondent
aux meurtres de Philippe Martinez et Farid
Belabbes.

— C'est simple, j'étais en voyage professionnel au Québec depuis début
décembre 2017, et je ne suis rentré que
depuis deux jours. J'ai gardé mes billets,
je peux le prouver.

— Bien, vous allez lire votre déclaration
et signer le PV.

— Ma garde à vue est terminée ?

— Non. On va voir ce que décide la juge d'instruction. Pour l'instant, on va vous redescendre en geôle.

Caradec et Santarelli sortaient de la salle d'audition au moment où Ann les rejoignit.

— Santarelli, vous partez en perquisition en présence de Marin. Il lui était difficile d'être l'auteur des meurtres depuis le Québec. Mais je suspecte toujours la nature de ses liens avec celui qu'on recherche. Il est peut-être plus proche de lui qu'il ne veut bien le dire. On ne peut pas écarter une complicité dans la préparation de ces crimes. On saisit l'ordinateur pour tenter de récupérer ses échanges de mails avec la possibilité de trouver l'IP de notre objectif.

— On va passer son domicile à la loupe ! Je vous tiens au courant.

Santarelli s'éloigna pour rejoindre le groupe.

— Alors, tes collègues anglais progressent ?

— Ils ont interpellé le chauffeur de taxi qui a participé à l'enlèvement. Ils se dirigent vers le lieu où Perkins serait détenu. J'espère qu'ils arriveront à temps et qu'ils coinceront Patterson.

— Croisons les doigts, Ann. En attendant, on a du boulot. Le Renseignement
territorial m'a appelé, il a des informations
sur les membres d'une secte qui aurait utilisé notre symbole.

37

— Nous sommes sur les docks, indiquez-nous l'entrepôt où vous les avez vus rentrer.

Ali Akhtar se pencha pour voir à l'extérieur.

— Avancez jusqu'au bout de la voie.

La voiture de police roula lentement dans la direction indiquée.

— Voilà, c'est là.

Il tendait son bras vers un portail métallique. Le convoi policier s'arrêta pour laisser descendre les forces d'intervention. Au pas de course, celles-ci prirent position dans le vaste hangar. Un maître-chien présenta à son animal un vêtement porté par Perkins. Le pisteur bondit vers le fond, en aboyant.

— Le chien marque cette porte ! Il faut l'ouvrir.

Le bélier eut raison des anciennes serrures. Au fond, un couloir se perdait dans l'obscurité.

Le policier avait le plus grand mal à retenir son Labrador qui l'entraînait vers le sous-sol. Ils progressèrent sur quelques centaines de mètres, jusqu'à une première cavité. Au loin, la roche renvoyait une lueur provenant d'une vaste salle dans laquelle Perkins attendait, toujours ligoté et le casque de moto sur la tête. Le chien posa ses pattes avant sur la table.

— Patron, on est là ! On va vous délivrer de ces liens.

Derrière la visière, Perkins faisait déjà entendre sa voix, avec une pointe d'humour.

— Pour une fois, les gars, je suis content de vous voir !

On lui enleva délicatement le casque. Le géant se remit debout d'un coup de rein.

— J'ai bien fait de cacher mon téléphone sous le siège, avant que ces salauds ne me fassent sortir du véhicule. Je vous ai fait confiance.

Les agents de l'Identité judiciaire investirent l'espace.

— Morris, passez-moi votre portable, je dois appeler ma femme pour la rassurer.

D'autres galeries se prolongeaient parallèlement au métro. Leur inspection ne révéla aucune présence humaine. Une armoire contenait des ustensiles de chirurgie.

— Attention, fit Perkins, le relevé des traces est primordial. Ces instruments ont peut-être servi à mutiler Peter James.

— Patterson s'est volatilisé !

Perkins se retourna vers Morris, un sourire ironique aux lèvres.

— À cette heure, il est forcément au courant. Vous voyez cet ordinateur ? Je suis persuadé que la webcam est actionnée et qu'il doit recevoir nos images. Patterson, si tu m'écoutes, cache-toi bien, j'arrive !

Il déconnecta les fils.

— Faites un signalement de Patterson à la Police des frontières. Hors de question de le voir quitter le pays ! On va aller le cueillir au saut du lit !

38

Mélanie Duras n'acceptait que très rarement de rencontrer ses contacts en des lieux isolés à l'extérieur de Marseille. Sa notoriété la rendait vulnérable, exposée au premier déséquilibré contrarié par les résultats de ses investigations.

Elle se souvenait encore d'une altercation violente avec un militant nationaliste datant de quelques semaines. Évidemment, quand elle s'était rendue à ce dîner improvisé, elle ignorait l'activisme de ce quadragénaire au sein de cette mouvance. Il lui avait promis un scoop en disant détenir des informations en béton sur le passé trouble d'un élu de la région. Au cours de la soirée, l'individu avait manifesté une grande nervosité et prononcé des violences verbales. Il l'avait menacée du pire si elle continuait à défendre certaines causes. Comprenant qu'il pouvait être dangereux, elle avait décidé de partir, en prétextant un ennui familial. Sur le pas de porte, il avait tenté en vain de la retenir…

Cette fois-ci, sur sa messagerie professionnelle, un homme se prénommant Stéphane s'était prévalu de connaître l'identité
du tueur de flic. Elle lui avait demandé
d'être plus précis en feignant de ne pas
comprendre. Deux jours plus tard, pour
conforter son témoignage, il avait joint à
son message des clichés de Philippe Martinez accroché à une fenêtre de l'Évêché.
Ces photos n'avaient jamais été diffusées.
Un gros plan du visage de la victime tourné
vers l'intérieur du bâtiment ne pouvait
avoir été shooté sous cet angle même avec
le plus puissant des objectifs. Or, très peu
de monde avait pu avoir accès à la scène
de crime.

Plus elle réfléchissait, et plus une évidence s'imposait : l'auteur de la photo ne
pouvait qu'être policier ou membre des
équipes de secours. Quel intérêt avait-il
alors à médiatiser une information cou-
verte par le secret de l'instruction ? Sa
déformation de journaliste d'investigation
lui faisait tout envisager. Pourquoi pas le
désir de révéler la vérité ? Elle devait aller
au rendez-vous, quel qu'en soit le risque.

Le contact avait été fixé dans l'église
Saint-Laurent de Cabrières-d'Aigues, cadre
insolite pour une rencontre ! La nef était
vide. Elle était arrivée la première. Les

flammes des cierges vacillaient sous les courants d'air. Elle choisit une chaise pour s'asseoir et attendre. Un homme d'une quarantaine d'années, en veste de lin beige et portant des lunettes noires, vint s'installer à côté d'elle.

— Je suis en retard. Excusez-moi.

— Pourquoi avoir choisi cet endroit ?

— Connaissez-vous le drame qui a frappé ce village ?

— Non, mais vous allez me le dire.

— Il a été entièrement brûlé sur ordre du capitaine Paulin de la Garde, de son vrai nom Antoine Escalin des Aimars. Savez-vous pourquoi ? Parce qu'un baron avait décidé de réprimer des populations indociles, réfractaires au dogme catholique. Vous voyez, cette église se dresse encore vers le ciel. Ils ont réussi.

La lueur des cierges éclairait son visage. Des larmes coulaient sur ses joues. Elle ressentit chez lui une exaltation trouble.

— Stéphane, c'est bien votre prénom ?

— Oui.

— Vous disiez connaître le meurtrier du commissaire Martinez ?

— Bien sûr !

— Eh bien, je vous écoute.

— Avant, vous ne voulez pas en savoir plus sur le mobile du crime ?

Elle le regardait sans comprendre vraiment ce que cherchait cet homme.

— Pourquoi pas !

— La vengeance, Mélanie, rien que la vengeance. Le sentiment le plus noble pour rétablir la Justice. Vous n'êtes pas d'accord ?

Elle resta silencieuse, consciente d'être en face d'une personne en souffrance mentale.

— L'ordonnance de Villers-Côtterets institue officiellement le registre des baptêmes, l'ancêtre de l'état civil. L'autorité qui prend cette décision est l'homme au service duquel Paulin de la Garde se battait : François 1er. Le roi de France ignorait alors qu'un jour on arriverait, grâce à ces archives, à identifier les descendants des soldats de son capitaine de vaisseau.

Elle l'observait pendant qu'il poursuivait son monologue. Une jouissance malsaine se lisait sur les traits du dénommé Stéphane.

— Depuis cette mesure, il est possible de remonter aux origines d'un arbre généalogique, plus ou moins sûrement. Celui de Martinez nous précise avec certitude qu'il descend d'un mercenaire espagnol zélé, responsable du massacre de Mérindol. Nous devons tous payer pour les fautes de nos aïeux. Et Martinez ne pouvait échapper à une justice supérieure à la justice des hommes. Il devait répondre des crimes restés impunis...

— Arrêtez, on pourrait croire que c'est vous le tueur ! Le cliché que vous m'avez envoyé ne peut être détenu que par quelqu'un qui a eu accès au dossier judiciaire !

— Ce n'est pas mon cas. Ne cherchez pas à savoir comment je me le suis procuré.

Elle n'osa plus lui demander d'avancer le nom du tueur. Son pressentiment lui donnait des frissons.

— Qu'est-ce que vous attendez de moi ? Vous voulez passer un message ? Je suis prête à le faire fidèlement ! Les flics et les magistrats vont tomber de l'armoire.

Les yeux de Stéphane s'assombrirent.

— Ce n'est pas exactement ce que j'attends de vous !

— Je pensais...

Il la coupa sèchement :

— Vous pensez mal !

Elle se retourna. L'église était toujours désespérément vide.

— Il n'y a pas de messe ce soir, et le curé est en déplacement. Il m'a laissé les clefs.

— Alors, je vous écoute !

— Malheureusement, ce n'est ni le lieu ni le moment.

Il se leva. Elle eut juste le temps d'entendre sa réponse avant de ressentir une vive douleur à la tête. Puis ce fut le voile noir...

39

Accompagné de la policière londonienne, Caradec s'apprêtait à rendre visite au SZRT* local lorsque le lieutenant Delgado fit irruption dans son bureau.

— Commissaire, la juge Raynaud nous demande de mettre fin à la garde à vue de Marin. La perquisition à son domicile est blanche, et l'examen de son disque dur va demander plusieurs jours avant de pouvoir récupérer les mails effacés.

— D'accord. On le place sous surveillance dès qu'il sort. Notre objectif peut chercher à le contacter.

— Ce sera fait, monsieur.

Le visage soulagé, Ann venait de recevoir un SMS.

— Perkins m'informe que je l'aurai encore sur le dos un moment. Il te remercie de m'avoir convaincue de rester ici, sa période de sevrage à mon égard n'étant pas terminée.

— Bonne nouvelle, en effet. Il t'aime bien ton patron ! Faut faire attention à lui.

_____

* Service Zonal du Renseignement territorial.

— J'y veille !

Il n'y avait qu'un étage à descendre pour gagner les bureaux occupés par le Renseignement territorial. Une porte sécurisée délimitait une zone sensible protégée par le secret défense. Un agent du service lui ouvrit, en le reconnaissant :

— Bonjour, commissaire.

— Bonjour, je suis accompagné d'Ann Smith de Scotland Yard.

— Très bien, vous allez me suivre jusqu'au bureau de M. Delmas.

En marchant dans le couloir, Ann nota la différence d'ambiance avec les locaux de la DIPJ. L'atmosphère nettement plus ouatée n'était pas troublée par les éclats de voix ou les claquements de portes, sans compter le brouhaha occasionné par les navettes des interpellations.

— Quel calme pour un service de police !

— Bien sûr. Leurs missions sont différentes des nôtres, c'est un peu le pendant de la *Spécial Branch* chez toi. Ici, on collationne des milliers de données, on les analyse pour déterminer des objectifs sensibles. Les groupes opérationnels sont le plus souvent sur le terrain où la menace prend forme.

L'agent les laissa pénétrer dans le bureau du chef de service. Fabrice Delmas se leva pour les accueillir :

— Caradec, comment tu vas ? Pas trop dur l'atterrissage à Marseille ?

— La rumeur de Paris me manque, mais je n'ai pas eu le temps d'y penser. L'assassinat de notre collègue a occupé tout mon temps. Je te présente Ann, un officier de Scotland Yard. Fabrice, je t'ai envoyé le fameux symbole qui trace comme des petits cailloux souillés de sang la piste de notre serial killer.

— J'ai sorti le dossier qui peut t'intéresser. L'année dernière, nous avons surveillé une bande d'illuminés se revendiquant de Bakounine, le célèbre théoricien anarchiste. On les suspectait de vouloir mener des actions de destruction d'infrastructures, routes, lignes de chemin de fer, réseaux électrique...

Il ouvrit les documents disposés devant lui.

— Ce groupe était dirigé par un étudiant en sixième année de médecine, Loïc Risoli. Fasciné par la mort, il préparait une thèse sur la médecine légale. Par sécurité, on a préféré démanteler le groupe. En perquisition à son domicile, les collègues de l'antiterrorisme ont trouvé ce bouquin illustré par ce symbole. Il y avait aussi pas mal de notes sur des conférences données par un certain Marin. Un professeur...

— ... d'histoire. On met fin à sa garde à vue en ce moment.

— Ok, je vois que tu connais. Donc tu as fermé la porte sur un lien possible entre nos révoltés du bocal et ton affaire.

— Le mettre hors de cause directement, ne veut pas dire qu'il n'a pas de liens avec le maniaque qu'on recherche. Ton Loïc Risoli, tu sais où il crèche ?

— Le dernier domicile connu était une ferme du côté de Cassis. L'endroit semble inoccupé depuis plusieurs mois. Après leurs interpellations, les membres du groupe se sont dispersés. On n'avait rien trouvé de compromettant, donc on a suspendu les écoutes. Du coup, si on voulait reprendre les surveillances, on devrait repartir à zéro.

— Tu as une photo ?

— Oui, assez récente.

Caradec prit les clichés que Delmas lui tendait.

— Il sortait de la gare Saint-Charles quand on l'a flashé. Un gamin pas très grand, plutôt beau gosse, brun avec un goût prononcé pour le port de la casquette, comme tous les jeunes.

— On peut t'emprunter son portrait ?

— Tu peux le prendre, on en a d'autres. Sinon, un détail me revient. Dans une conversation avec un type qu'on n'a pas pu identifier, à cause d'une carte prépayée comme d'habitude, ils ont évoqué le village de Mérindol. Ils cherchaient une bâtisse dans le coin. Cet interlocuteur nous était inconnu et n'avait pas de contact avec les autres militants. On aurait dit que Risoli avait cloisonné.

Ann n'avait pas voulu interrompre l'échange. Une question lui brûlait les lèvres :

— Ces anarchistes avaient-ils des liens avec des groupes violents dans mon pays ?

— Pas à ma connaissance.

— Ok, fit Caradec. On va essayer de le loger. On va brancher nos tontons. Je te tiens au courant. Merci, Fabrice.

— Avec plaisir, si on peut s'entraider. Et puis je voudrais que l'enfoiré qui a tué l'un des nôtres, se fasse serrer et passe des années en taule à le regretter.

— Il ne s'est pas arrêté à ce crime. On pense qu'il est responsable du meurtre d'un policier anglais d'où la présence d'Ann, et de la mort d'un jeune dealer de la cité des Lauriers.

— On a craint, un moment, que le quartier ne s'enflamme avec match retour, comme chaque fois qu'on ramasse un gosse tombé sous les balles de kalach !

— Ça ne bouge pas parce le téléphone arabe a fait son œuvre. Ils pensent qu'on a incarcéré l'auteur. Le chef de bande du quartier de La Savine.

— Nordine Souissi, dit le Balafré !

— Le juge l'a placé en détention pour son implication dans le transport du corps pour de l'argent. Mais il ne l'a pas tué. Bien, on va y aller. Merci pour ces infos.

— Pas de quoi. Et vous, chère collègue, bon retour si on ne se revoit pas !

Quelques minutes après, ils retrouvaient les couloirs de la DIPJ où ils croisèrent l'hyperactif Santarelli.

— Vous allez penser que je le fais exprès ! Chaque fois que vous vous absentez, on a une info en béton !

Caradec éclata de rire :

— Vous n'y êtes pour rien ! La preuve, vous cherchez toujours à me la fourguer à mon retour, tellement elle vous brûle les doigts. Sinon, vous auriez tenté de l'exploiter dans votre coin avant de m'en parler. Je me trompe ?

— Vous commencez à connaître mes défauts. C'est pas bon !

Il souriait lui aussi.

— Trêve de plaisanterie ! On a un retour de la PAF. On se souvient que le téléphone intercepté par vos collègues, Ann, avait émis

à Mérindol et que le même avait réservé
une place pour un vol vers Londres Luton.
Sur les vidéos, on ne voit pas grand-chose.
Par contre, un seul passager voyageait seul.
Le listing d'une compagnie de vols low cost
a identifié un dénommé Patterson.

— Patterson !!!

Ann et Caradec avaient poussé ce cri au
même moment. Elle savait que ce renseignement était capital.

— Vous mériteriez que je vous embrasse
sur le front. Perkins a toujours pensé qu'il
était lié au Français, meurtrier de Peter
James.

— On a une pièce d'identité ?

— Non, la société de transport aérien ne
l'exige pas.

— Attendez, attendez, il s'agit de ne pas
s'affoler ! Première hypothèse, notre tueur
a utilisé les papiers appartenant à Patterson, en passant les douanes. Seconde
hypothèse, Patterson est venu à Marseille
quelque temps avant la mort de James.

— Quel intérêt, demanda Ann, aurait-il
eu à passer en Angleterre avec les papiers
de Patterson ?

— C'est lui qui tue. Il est donc exposé
dans l'action, et a besoin d'évoluer le plus
discrètement possible. Mieux vaut utiliser

de vrais papiers que des faux, si on venait
à être contrôlé.

Ann compléta la réflexion :

— Patterson n'a plus rien à perdre. Il est
dans une logique suicidaire.

40

Du bas de l'immeuble, Perkins donnait ses ordres par radio. La brigade d'intervention positionnée sur le toit était prête à descendre en rappel, dès le feu vert de l'autorité. À cette heure matinale, aucun badaud ne venait perturber la mise en place du dispositif. Patterson pouvait ne pas être seul et héberger le tueur de Peter James, d'où un déploiement exceptionnel de forces. Sous la porte d'entrée, une caméra discrète avait été glissée. L'image renvoyée sur un écran dans le véhicule de commandement, ne décelait aucune activité à l'intérieur de l'appartement. Perkins piaffait d'impatience :

— J'ai l'impression qu'il n'est pas là. À sa place, on ne serait pas revenu pour se jeter dans la gueule du loup. Si tout le monde est prêt, on entre.

Très vite, des hommes se laissèrent glisser depuis le toit le long des cordes, pour percuter les fenêtres. Le fracas réveilla des habitants qui sortirent pour voir ce qui se passait. Simultanément, d'autres policiers équipés de boucliers faisaient éclater la porte et pénétraient dans les lieux. Perkins et ses enquêteurs suivaient derrière, armes à la main. Les individus recherchés n'étaient pas dans les pièces investies. Devant une chambre dont la porte était fermée à clef, Perkins n'hésita pas une seconde.

— On ouvre !

À l'intérieur, une vieille femme était allongée sur le lit. Une odeur intenable se dégageait dans la pièce. Le sol était jonché de détritus et d'immondices laissant penser qu'elle était dans cet état depuis longtemps. Perkins reconnut Lisa Patterson. Il lui prit le pouls.

— Appelez une ambulance, elle est encore vivante !

Morris se baissa pour prendre une boîte de conserve ouverte sur le parquet.

— Son contenu doit être pourri depuis un certain temps.

Perkins haussa les épaules.

— Il l'a maintenue prisonnière dans cette pièce insalubre dans des conditions inhumaines. Il respectait sa mère jusque-là. Aujourd'hui, il la laisse crever. Patterson n'a pas transgressé le tabou en lui portant un coup fatal, mais cet abandon est pire encore pour sa victime. La souffrance humaine le nourrit, il va chercher encore à s'y repaître comme une bête immonde.

— Monsieur, vous pouvez venir voir, s'il vous plaît ?

Il suivit l'informaticien du service jusque dans la chambre de Patterson.

— On a réussi à récupérer des messages sur Snapchat. Son dernier mail remonte à la semaine dernière. Il échange avec quelqu'un dont le pseudo est *l'Humilié* sur une adresse mail qu'on ne peut pas remonter. Trop de relais par des plateformes internationales. Ce dernier lui dit qu'il aura à nouveau besoin de lui, et que des cibles évoluent en Grande-Bretagne. Il dit aussi avoir rempli son contrat et attendre en retour ce qu'il a demandé. *L'Humilié* rappelle qu'il n'a qu'une parole.

Il regarda Perkins, immobile et en pleine perplexité.

— Après la découverte en France de l'uti-lisation des papiers de Patterson par notre suspect numéro 1, voilà une seconde preuve de la collaboration entre les deux psycho-tiques. Je donnerais cher pour connaître la nature du deal passé entre eux.

— À plusieurs reprises, il contacte un certain Janus.

— John Brian ?

— Vraisemblablement, cette adresse mail nous est connue.

— On découvre qu'il y a encore deux semaines, ils se donnaient rendez-vous dans l'entrepôt où vous étiez retenu !

Perkins réagit physiquement en tapant du poing sur la table :

— Les Killing Cops ! Je me doutais que Patterson tout seul et handicapé de surcroît, ne pouvait avoir organisé mon enlèvement. Il a mis ce groupe à son service. Patterson avait dû se connecter à leur site au moment où ils avaient commencé à cibler Peter James.

— Dans une association, les deux parties doivent trouver un intérêt. Que peut attendre John Brian d'un fou à lier comme Patterson ?

— Brian est un radical, un facho, un raciste frustré et refoulé, mais on n'a jamais prouvé qu'il soit passé à l'acte en tuant. Patterson a pu lui inculquer la cruauté et le vice qui lui manquaient.

Il réfléchit quelques instants :

— On va fixer un rencart à John Brian. Il ignore peut-être que son nouveau camarade de jeu est en fuite. Prenez le pseudo de *Terminus*, et demandez-lui de venir ce soir à 22 heures, au London Eye*.

Perkins marcha lentement jusqu'à la sortie.

---

* L'œil de Londres (la Grande roue).

— On saisit tout ça ! Vous quittez les lieux dès que l'Identité judiciaire a terminé et que Lisa Patterson est évacuée sur l'hôpital. Moi, je vais me reposer. Mes nuits dernières ont été mouvementées.

Il respira profondément.

— Décidément, on assiste à l'association des forces du mal !

41

À son réveil, dans l'obscurité, ses yeux discernaient à peine les objets autour d'elle. Sous son corps meurtri, un matelas jeté à même le sol, une table contre un mur avec un ordinateur portable ouvert, aucune fenêtre, pas de sanitaires. Ses membres n'étaient pas entravés, mais ses muscles douloureux ne répondaient pas. Mélanie Duras commençait à comprendre que des substances lui avaient été administrées, même ses cris restaient au fond de sa gorge.

Le rendez-vous dans cette église, cet homme exalté à l'extrême…, des souvenirs lui revenaient par bribes. Pourquoi était-elle tombée dans ce piège ? Elle, la journaliste réputée la plus avisée de Marseille ! Prise en otage, elle pensait pourtant qu'elle avait fait le bon choix. Sa vie était probablement en danger, mais elle venait d'avoir l'occasion d'approcher le criminel. Son agresseur ne pouvait être que l'assassin du flic.

Elle ignorait toujours ce qu'il lui voulait. Pour le moment, il ne semblait pas avoir prévu de la tuer. Quel rôle allait-il lui faire jouer ? N'était-elle qu'une simple monnaie d'échange, comme dans la plupart des affaires de prise d'otage ?

Une odeur forte emplissait ses narines, entêtante, âcre, presque acide, lui faisant penser à celle du formol. Sa disparition ne manquerait pas d'alerter la direction du journal. Les services de police ne tarderaient pas à être informés. Son ravisseur avait-il intégré ces éléments dans son plan ? Il devait estimer sa planque introuvable. Son complexe de supériorité sautait aux yeux tellement il semblait investi d'une mission... supérieure. Comme elle tentait encore de se redresser, la porte s'ouvrit brusquement. Quelqu'un actionna l'interrupteur. Éblouie, elle ferma les yeux dans un premier temps, pour les ouvrir sur celui qu'elle avait reconnu comme son ravisseur.

— Vous me remettez ?

Voyant qu'elle ne répondait pas, il s'assit sur un coin du lit.

— Maintenant, je peux vous dire en quoi vous allez m'être utile.

— Vous me laissez le choix ?

Il ferma les yeux, manifestant un signe d'énervement nouveau.

— Le choix, est-ce que j'ai le choix, moi ? J'assume un héritage qui s'est imposé à moi ! Maintenant, si ce que je vais vous demander est au-dessus de vos forces, c'est vous qui aurez choisi de mourir. Vous êtes une femme intelligente, vous aurez compris que je ne tue pas par plaisir mais par devoir. Rien que par fidélité au devoir. Je ne suis pas un monstre.

Mélanie Duras se redressa en se rapprochant de lui.

— Que dois-je faire ?

— Vous disposez d'un talent d'écriture que je ne possède pas. Après ma mort, certainement brutale et prochaine, dès que j'aurai fait le grand saut au-delà…, je voudrais que d'autres puissent reprendre le flambeau. Je vais vous raconter comment j'en suis arrivé là, rappeler tous les actes qui ont gravé ma mémoire afin que vous puissiez rapporter mon témoignage. Je vous propose d'écrire un best-seller, les mémoires d'un meurtrier en série rédigés par procuration !

Il s'arrêta de parler, en la dévisageant, peu rassuré sur sa réaction. Elle resta impassible.

— Alors ?

— Il me faut un ordinateur avec un traitement de texte. Vous envisagez de donner un titre à vos exploits minables ?

— L'HUMILIÉ…, le titre s'impose à nous.

42

Un vent froid et humide soufflait sur l'esplanade. Malgré cette météo très britannique, les touristes se pressaient nombreux autour du London Eye, un des symboles de la capitale anglaise. La Grande Roue s'imposait au cœur de la ville, au même titre que le Palais de Westminster. Discrètement, une femme parlait dans un micro caché dans son col.

— Dans la file d'attente, RAS !

— On continue. Il ne va pas manquer de se pointer. Mais peut-être pas où on l'attend.

Perkins donnait ses ordres à la dizaine d'agents disséminés dans la foule. Le piège était grossier, mais les traquenards les plus simples n'étaient pas les moins efficaces. Il ne savait cependant pas si Patterson se trouvait auprès de Brian quand celui-ci avait reçu le message signé Terminus. Or, c'était la condition pour assurer l'efficacité du dispositif. À défaut, les intéressés auraient plongé encore plus dans la clandestinité.

Chaque fois qu'il pensait à son ravisseur, une rage l'envahissait. Il avait été tenté de laisser au vestiaire son costume de flic, pour mieux se venger à la mesure de la perversité du monstre. Handicapé ou pas, la leçon aurait été exemplaire. Mais cette envie de meurtre, cette violence refoulée devaient rester au stade du fantasme. Programmé pour respecter et faire respecter la loi, il n'aurait pas su passer à l'acte.

Un jeune homme traversait la place d'un pas tranquille, portant un bombers et un jean noirs. La policière au micro venait de le détecter, et s'adressa à la salle de commandement :

— Objectif à 50 mètres devant moi, cheveux roux et vêtements sombres.

— Ok, pour la reconnaissance faciale !

Au bout des quelques secondes nécessaires pour valider l'identité du suspect, la voix de l'opérateur résonna dans toutes les oreilles :

— Ça matche ! Tom Hopkins. Un proche de John Brian.

Perkins rugit une nouvelle fois, dans la radio :

— L'enfoiré ! Il nous envoie un second couteau. Il est plus chaud que d'habitude. On ne le serre pas. Brian peut l'avoir à vue.

Les agents n'avaient pas bougé de leurs positions. Hopkins fit plusieurs fois le tour de la place, puis repartit d'un pas rapide.

— On le prend en filoche, doucement. Je veux le loger.

À distance, deux agents emboîtèrent le pas du militant extrémiste.

Entraîné à éviter les pièges et à déjouer les repérages, celui-ci vérifia qu'il n'était pas suivi en revenant sur ses pas et en faisant le tour d'un bassin dans le parc. Enfin, persuadé que personne ne le filait, il s'engouffra dans le métro, pour ressortir à la station suivante d'où il sauta dans un taxi. Deux motards de Scotland Yard prirent le relais jusqu'à un immeuble cossu du quartier bourgeois de Notting Hill.

— Ok, l'oiseau est dans le nid !

— Parfait, fit Perkins qui arrivait avec son chauffeur sur le site.

— Les Killing Cops ont dû établir leur QG ici. On se pose et on attend.

43

Ils s'étaient donné rendez-vous dans une vieille fonderie vouée à la destruction. Des outils étaient dispersés, plus ou moins abandonnés... John Brian était arrivé le premier. Il avait poussé la porte rouillée de l'usine où il avait travaillé comme apprenti. Le contact plutôt dur avec la vie professionnelle lui avait fait perdre très tôt les illusions de l'enfance. Du passage de l'adolescence à l'âge adulte, datait sa haine pour ce qui représentait l'autorité. Très tôt, il avait résisté à l'impression que sa vie puisse lui échapper... Ensuite, la fréquentation de jeunes hooligans, les combats de rue, les confrontations avec les forces de l'ordre avaient parachevé une trajectoire de violence, sans possibilité de retour en arrière.

Plus intelligent que la moyenne dans un milieu d'individus déscolarisés très jeunes, son autorité de leader ne lui avait jamais été contestée. Le premier groupe, fondé sur un pari idiot, n'avait pas survécu au manque d'expérience. Les services de police n'avaient eu aucun mal à le repérer et à le démanteler. Le mouvement avait été vite dissous et les militants emprisonnés.

Il avait échappé par miracle au coup de filet, mais avait écopé d'une réputation de balance. Profitant de la crise économique, il n'avait eu aucun problème pour recruter des gars à la dérive. Lui, l'ancien ouvrier, fascinait des jeunes perdus sur les bancs des universités, grâce à son talent d'orateur et à un physique de jeune homme bien sous tous rapports. Il arrivait à tromper son monde et à cacher facilement la noirceur de ses états d'âmes et la dangerosité de ses projets.

Les Killing Cops fonctionnaient sur un principe mobilisateur simpliste mais efficace : « L'État est notre ennemi. Il hait les jeunes en les maintenant sous silence ». Sur ce créneau, des militants de l'ultra-gauche surfaient aussi, concurrents. Il n'était pas rare que les deux mouvances s'affrontent physiquement. Un de ses gars y avait perdu la vie, mort d'un coup de couteau dans le cœur.

L'ouverture du grand portail coulissant de la fonderie le rappela aux réalités du moment. Un homme avançait d'un pas mal assuré. Patterson semblait plus fatigué que d'habitude. Il tenait ses prothèses le long du corps.

— Ils sont passés chez moi. Ils ont embarqué ma mère, tu te rends compte, ma pauvre mère !

— Tu aurais dû me dire que tu te planquais. Ils ont failli me piéger en m'envoyant un message à partir de l'adresse mail de Terminus.

— Je ne pouvais pas et Stéphane, le Français, m'avait demandé de me faire oublier.

— J'ai l'impression que tu n'existes plus qu'à travers ce mec ! Comment peut-il te manipuler à ce point ? C'est toi le patron ?

Patterson n'arrivait toujours pas à contenir sa colère :

— Il m'a permis de réaliser mon rêve. Faire taire à jamais ce flic de merde qui m'avait dénoncé !

— Tu as été marginalisé. Tu t'es contenté de lui fournir des moyens. Ses raisons n'étaient pas les tiennes. Il s'est servi de toi !

John Brian fit le tour d'un énorme puits rempli d'huile de vidange.

— De toute façon, vous êtes aussi fous l'un que l'autre.

Patterson croisait ses bras sur sa poitrine, comme s'il ressentait physiquement la violence des mots de Brian. Les yeux écarquillés, il sentait monter en lui une extrême tension.

— Le fou, comme tu dis, tu es bien venu le chercher.

— On a passé un deal. On t'a amené Perkins comme tu l'as demandé. Toi, tu n'as pas rempli ton contrat.

— Avec ça, comment veux-tu que j'arrive encore à modifier l'aspect d'un visage ?

Il leva ses bras au-dessus de sa tête.

— Il n'y a qu'une machine qui pourrait relayer mes mouvements pour opérer, et elle est dans un hôpital gardé par une équipe de vigiles.

— Tu es un grand malade pour en être arrivé à te mutiler. Moi, je n'ai qu'une parole. Tu aurais dû le savoir.

Il se rua sur Patterson et le renversa de toute sa force vers l'arrière. Celui-ci, déséquilibré, chuta dans le puits où il finit par couler définitivement.

John Brian s'assura qu'aucun témoin n'avait assisté à la scène. Il recouvrit les bulles crevant à la surface avec un panneau métallique. Son téléphone sonna au moment où il s'apprêtait à quitter les lieux.

— Oui ! Tant qu'ils sont dehors, vous ne bougez pas.

Une source dans le milieu de la nuit marseillaise, avait permis d'interpeller Loïc Risoli, l'étudiant en médecine. Le jeune homme fréquentait assidûment un loft dans le vieux quartier du Panier. De jeunes alternatifs adeptes de rave party, s'y retrouvaient chaque week-end. Risoli en profitait pour écouler des cachets d'ecstasy. Il attendait maintenant dans la salle d'audition.

Caradec ne s'était pas levé de bonne humeur. Il ne fallait pas que Risoli le mène trop longtemps en bateau. Il entra dans la salle en faisant claquer la porte, suivi du lieutenant Delgado pour la rédaction du PV. L'avocat du jeune homme avait été prévenu.

— Loïc Risoli, vous faites l'objet d'une mesure de garde à vue dans le cadre de l'enquête sur l'assassinat du commissaire Martinez.

En entendant Caradec, Risoli se raidit encore plus sur son siège.

— On ne va pas tourner autour du pot. Vous savez tout à fait ce que veut dire ce symbole. On a retrouvé le livre du professeur Marin à votre domicile.

— Oui, et alors ?

— Alors, il a été tatoué sur la langue du commissaire Martinez par son meurtrier. De plus, on a trouvé sur le corps d'un jeune des quartiers Nord, un code URL renvoyant au même symbole sur YouTube. Autrement dit, quelqu'un qui voue un culte aux Vaudois s'ingénie à tuer des victimes innocentes. Et trop de raisons et de faits concourent à me faire penser que vous êtes derrière ces meurtres !

Le jeune essaya de se lever, vite remis à sa place par le gardien présent dans la salle.

— Je n'ai tué personne !

— Je veux bien vous croire. Alors c'est forcément quelqu'un de votre entourage, un professeur par exemple ?

— Non, laissez le professeur Marin loin de tout ça.

— Qui vous a initié et entretenu dans cette adoration pour le culte vaudois ? Je lis dans vos yeux que le type que l'on recherche est assez fou pour commettre ce genre d'horreur, et que ça vous faisait peur ! Vous voulez plonger pour lui ? Très bien, vous allez en prendre pour quinze à vingt ans. C'est le tarif pour un assassinat !

— Je ne connais que son prénom, Stéphane. Je l'ai connu en fac de médecine, il venait de temps en temps nous voir à la sortie des cours. Il était incollable en médecine légale. Je me rappelle aussi qu'il nous gonflait souvent en nous parlant de sa seconde passion, la généalogie. Il n'était pas « seul dans sa tête », c'est sûr.

Caradec sembla encaisser l'information. D'une voix blanche, il posa une dernière question :

— Vous êtes déjà allé chez lui ?

— Oui, il a hérité d'une maison à Cabrières. Vous ne pouvez pas vous tromper, elle est accolée à l'église.

Caradec se leva d'un coup.

— Lieutenant, vous appelez la juge pour l'informer de ces derniers développements, et vous mettez fin à la garde à vue de monsieur, en concertation avec le magistrat.

Il réunit tout le monde dans son bureau avec Ann. Après un coup de fil donné à la BRI, le convoi policier quitta l'Évêché pour Cabrières.

Moins d'une heure plus tard, le dispositif entourait la maison indiquée par Risoli. La porte fut forcée et les policiers prirent possession des lieux. En progressant pièce par pièce, ils découvrirent au sous-sol Mélanie Duras, et ils la libérèrent.

— Je comptais sur vous, commissaire. Je savais que vous ne tarderiez pas à me trouver !

Caradec sourit mais il n'avait qu'une idée en tête, serrer le médecin légiste, Pierre Estéban.

— Vous savez où se planque votre ravisseur ?

— Il m'a dit qu'il aimait bien marcher sur la falaise, à la sortie du village. De là, il voit les disparus, il communique à l'horizon du monde, de notre monde à nous, et au-delà... !

Ann et Caradec s'élancèrent vers leur voiture. Sur place, ils virent la silhouette d'un homme ouvrir ses bras et se retourner vers eux, au bord du vide :

— Commissaire Caradec, bien joué ! Vous êtes un bon flic.

— Comme ceux que vous avez tués ! Martinez, Peter James, ces noms vous disent quelque chose ?

— Je n'expierai aucune faute ! Ces descendants de criminels étaient mal nés, je ne pouvais pas faire autrement.

— Et le jeune Farid Belabbes, lui n'était pourtant pas flic ?

— Rien à voir, vous ne comprenez toujours pas. Lui aussi, son aïeul avait fauté en allumant l'incendie de Cabrières. Beaucoup de mercenaires maures avaient été recrutés jusqu'en Afrique ! Il ne méritait pas de vivre après ce que son ancêtre avait commis...

Exalté, le légiste fit un pas en arrière. Caradec ordonna aux policiers de baisser leurs armes.

— Vous avez exposé le corps de mon collègue au sein même de l'Évêché. Comment avez-vous fait pour y pénétrer avec un cadavre et en ressortir sans attirer l'attention ?

— La victime était déjà dans la place ! Je n'ai eu qu'à la confronter à son destin. Je me suis caché jusqu'au lever du jour. Les couloirs du commissariat n'ont pas de secret pour moi. Je venais souvent à la DIPJ pour mon travail. J'avais besoin d'entretenir un contact avec les enquêteurs.

— En vous voyant passer la barrière en pleine journée, le planton n'a rien trouvé d'anormal, donc.

Estéban s'approcha encore plus près du bord de la falaise.

— Vous devez rendre des comptes à la justice. Vous n'allez pas sauter ! J'ai encore besoin d'explications. Et qui va perpétuer votre cause si vous disparaissez ?

— J'ai laissé derrière moi des lettres et des documents, et surtout le projet d'un

livre qui sera rédigé par la journaliste. Ma
vie ne compte pas. Seule la mémoire des
Vaudois vaut qu'on la défende. Elle devait
être réhabilitée !

— Vous ne pourrez pas y arriver sans
apporter d'autres éclaircissements. Ce
ne sont pas des lettres ou un livre qui
peuvent suffire à justifier vos crimes. Seul
votre témoignage peut permettre de comprendre. Pourquoi un fœtus dans le corps
du policier anglais ? Pourquoi avoir saigné
celui de Martinez ? Pourquoi s'en être pris
à ce jeune en lui coupant la tête ? Nous
avons retrouvé vos arbres généalogiques
expliquant l'origine et le lien entre les victimes. Mais nulle part dans ces documents
ne sont expliquées les raisons de vos mises
en scène. Si vous disparaissez maintenant,
on ne retiendra du martyre des Vaudois
que le souvenir de la folie du criminel que
vous êtes. Et ce ne serait pas faire honneur à leur mémoire ! Vous seriez indigne
du serment d'Hippocrate que vous avez
prononcé ! Votre suicide ne serait ni cou-
rageux ni à la hauteur de votre cause. Les
Vaudois méritent mieux que votre lâcheté.
Et pour cela, seul un procès en règle peut
permettre de comprendre vos raisons et
vos actes, en rappelant et en instruisant le
martyre des victimes.

Estéban se laissa tomber par terre, pris de transes, « endiablé », consumé par sa fièvre de vengeance. Comme Patterson, échouerait-il dans un hôpital psychiatrique, ou bien des Assises feraient-elles justice à ses victimes ?

Ann prit le bras de Caradec.

— Je viens d'avoir mon service, Patterson est mort et le groupe de Brian a été arrêté. Mais à quel moment as-tu deviné que c'était lui ?

— Juste avant d'entendre Risoli, on a reçu le cliché d'un véhicule flashé au radar entre Marseille et Mérindol, le soir du transport du corps de Belabbes. On y reconnaît Estéban avec la fameuse casquette sur le tableau de bord. Et l'interrogatoire du jeune étudiant en médecine m'a remis en mémoire ses propos pendant qu'il autopsiait Martinez. Là, il avait trop parlé sans que j'arrive à deviner ses sous-entendus.

Après que les policiers aient embarqué Estéban-Stéphane vers son destin, Ann embrassa Caradec sur la joue et lui confia pour alléger l'atmosphère :

— Tu connais peut-être cette blague de potache que se repassent les jeunes étudiants en médecine : « Le psy sait tout mais ne fait rien ! Le chirurgien ne sait rien mais fait tout ! Le dermato ne sait rien et ne fait rien ! Le légiste sait tout mais un jour trop tard... ! » En ce qui nous concerne, notre légiste prétendait savoir, malheureusement trop tôt, et il aurait mieux valu qu'il ne fasse rien... La médecine légale ne peut jouer avec les morts, pas plus avec leur mémoire qu'avec celle de leur descendance...

Épilogue

Mélanie Duras arriva essoufflée sur le port de Marseille. Elle avisa le café où l'attendait Caradec.

— Excusez-moi ! Je suis une éternelle « en retard » et pourtant personne ne m'avait séquestrée cette fois-ci !

— Ne vous inquiétez pas, sous le soleil, le temps n'a pas la même valeur. Qu'est-ce que vous buvez ?

— La même chose que vous.

— Revenons à cette triste affaire qui nous a permis de nous rencontrer. Estéban nous a dit qu'il vous avait confié des lettres et des documents. La justice vous demandera d'en rendre compte un jour. On s'était engagé à échanger nos informations. Nous restons sur notre faim. Que savez-vous du rôle de Patterson à Londres ?

— C'est lui qui avait eu l'information qu'une femme se faisait avorter dans un hôpital où il avait exercé. Il a connu notre légiste sur les réseaux sociaux. La presse avait évoqué le cas de ce chirurgien interpellé grâce à un policier, il y a une dizaine

d'années, notre Peter James descendant de
« mercenaire ». Il lui a fourni aussi le local
où ils ont procédé à la mise en place du
fœtus dans le ventre de James.

— Pourquoi un fœtus ? Pourquoi avoir
coupé la tête ? Pourquoi avoir saigné… ?

— Je savais que vous devriez un jour saisir ces documents. Je les ai avec moi et je
vais vous les remettre. Certains d'entre eux
répondent précisément à vos questions.
Par exemple, ce courrier : *Marseille, le
13 décembre, 2017* : ***Je pleure nos femmes
violées, éventrées, pleines d'enfants à
naître…*** Un peu plus loin : ***… Je saigne
avec nos hommes encore vivants sur
d'ignobles bûchers…, saignés comme des
animaux…*** Dans un extrait du « Dictionnaire géographique, historique et politique
des Gaules et de la France », daté de 1763,
l'Abbé d'Expilly écrit : ***… L'arrêt stipule
que tout le village, le château et quelques
forts des environs seraient rasés, les bois
coupés…, et l'hérésie décapitée… Les
glaives se sont abattus sans pitié et ont
tranché la vie des enfants…*** Vous pourrez
prendre connaissance de ces documents
annexés à ma contribution.

— Et donc, vous avez décidé d'obéir à
ce fou et d'entreprendre la rédaction de ces
témoignages ?

— Je vais en effet proposer les « véri-
tés » d'Estéban à une maison d'édition,
mais je veux profiter de l'occasion pour
montrer que les idéaux qui se veulent les
plus nobles et les plus généreux peuvent
parfois alimenter la pire folie humaine...,
et combien l'Humilié arrive à en humilier
sa cause !

— Je n'en attendais pas moins de vous !

— Que peut-on attendre de moi après
ces épreuves ? Tout ceci est complètement
fou, et pourtant si simple dans la tête des
vengeurs. Estéban était « fou » comme
Patterson, mais comme lui diablement
intelligent pour combiner et manipuler
impunément son monde. « Impunément »,
qu'est-ce à dire en médecine, en droit,
en morale ? Impunis, les responsables du
martyre vaudois ? Impunis, les fous criminels qui ne passeront jamais en procès ?
Impunis, mais pas innocents... !

Annexes

... remises par Estéban, le médecin légiste, à la journaliste, Mélanie Duras.

Marseille, le 13 décembre 2017.

Je ne suis que douleur et contrition devant les martyres de mes frères suppliciés. Pas un jour sur cette terre abandonnée du Seigneur, sans que les cris de terreur résonnent dans ma tête. Qu'ont-ils fait de mal ? Je pleure nos femmes violées, éventrées, pleines d'enfants à naître. Je saigne avec nos hommes brûlés vifs sur d'ignobles bûchers. Je sens l'odeur de leurs chairs noircies par les flammes inquisitrices. Leur sang a coulé sur notre chère terre du Lubéron.

Sois maudit, Jean Meynier, baron d'Oppède. Tes crimes ne seront pas impunis. Je t'en fais le serment. Malheur aux descendants de ceux que tu as armés. Ma vengeance s'abattra sur eux, ils imploreront ma pitié. À côté du sort que je leur réserve, l'Enfer n'est que douceur et miel.

Lux Lucet in Tenebris

Le Roi manda au Parlement de Provence, de faire tout ce qu'il pourrait pour détruire radicalement l'esprit d'inquiétude & de désordre qui animait les habitants des deux villages de Mérindol et Cabrières.

Chasseneuz alors premier-président de ce Parlement voulait que l'on commençât par la voie d'exhortation & de la douceur ; mais cet avis ne fut pas suivi. Le Parlement de Provence rendît un arrêt, le 18 novembre 1540, par lequel plusieurs des sectaires furent condamnés au feu par contumace, leurs femmes & leurs enfants bannis du royaume, & leurs biens confisqués. Comme Mérindol servait de retraite à ceux qui étaient soupçonnés de sentiments contraires à la doctrine romaine, l'arrêt ajoutait que toutes les maisons de ce village, le château et quelques forts des environs, seraient démolis & rasés, & les bois coupés à deux cents pas à l'entour.

Dictionnaire géographique, historique et politique des Gaules et de la France, *1763.*

Pour l'extirpation et extermination de la secte, statuons et ordonnons, par édit perpétuel et irrévocable que tous ceux et celles qui ont recelé ou recèleront par-ci après sciemment lesdits sectateurs, pour empêcher qu'ils ne fussent pris et appréhendés par justice... seront punis de telle et semblable peine que lesdits sectateurs ; sinon que d'eux-mêmes et par leur diligence, ils amenassent et représentassent à justice iceux sectateurs... et outre avons aussi ordonné que tous ceux et celles qui révéleront et dénonceront à justice aucuns desdits délinquans, soit des principaux sectateurs, ou de leurs recélateurs, auront la quatre partie des confiscations et amendes sur ce adjugées.

FRANCOIS 1ER, 29 janvier 1535.

Marseille, le 1er janvier 2018.

Il fait noir dans mon âme et dans mon cœur. Ce que je fais est mal, mais le châtiment enduré par mes frères ne l'est-il pas plus encore ? Je me consume de ne pas avoir pu réparer l'injustice. D'autres subiront ma sentence comme leurs aïeux ont exécuté celle du baron d'Opeïde.

Qu'il soit maudit à jamais et puisse-t-il errer dans les limbes de l'enfer, aussi longtemps que survivra le souvenir de ses victimes.

J'ai reçu cette mission en héritage et je la remplirai jusqu'à mon dernier souffle.

Les suppôts du Baron sont impuissants à me neutraliser. Je sens leur ombre autour de moi. Ils peuvent lâcher les chiens, je les combattrai de toutes mes forces.

Si j'échoue, qui prendra la relève ? L'obscurité retombera sur le sanctuaire provençal pour l'éternité.

Lucet in Tenebris

Marseille, le 15 janvier 2018.

Pourquoi, Pierre Valdes, ton nom a-t-il été traîné dans la boue ? Uniquement parce que tu as revêtu les vêtements des pauvres ? Ils auraient préféré que tu te drapes de leurs oripeaux, que tu manies l'hypocrisie pour partager leurs turpitudes dans le mensonge. Tu as fui leur persécution. Les barbes*, tes frères, ont construit un mur pour te protéger, au péril de leurs vies. Ils n'ont fait que suivre ton enseignement. Celui que tu leur as révélé.

Tu as marché sur Rome pour les convaincre. Ils se sont moqués de toi. L'excommunication, c'est le sort qu'ils t'ont réservé et avec toi, tous ceux qui t'ont suivi aveuglément. Ta foi n'est pas la leur et ne le sera jamais. Ils ont eu peur. Peur d'être démasqués ! Ils ne méritent pas le dieu qu'ils servent.

---

* Prédicateurs vaudois. « Oncle », « ancien », en Piémontais.

Ils ont levé une armée de criminels sans foi ni loi. Leurs glaives se sont abattus sans pitié sur des femmes, des enfants, sur les plus faibles d'entre nous. Repose en paix, Pierre. Je rétablirai ton honneur. Leurs descendants doivent trembler. Leur sang irriguera à nouveau les terres de nos ancêtres. Tu nous as appris le pardon. Tu avais tort. Même si mon âme brûle en enfer, je poursuivrai leur traque jusqu'à la mort.

Marseille, le 30 janvier 2018.

J'entends le vent s'engouffrer dans les ruelles de Mérindol. Pourquoi suis-je le seul à percevoir les cris ? Pourtant, leur position dominante aurait dû les protéger. Ils ont couru jusque dans la plaine pour se cacher. Pour fuir les épées assassines. Griffées par les ronces, leurs jambes nues, mues par la peur, sont rougies d'un sang pur.

Les pavés, sous mes pas, vibrent des sabots de leurs chevaux pleins d'écume. Que la Durance est belle entourée de ses douces collines. Comment ont-ils pu souiller cette terre, ce bout de paradis ?

Pour certains, la montagne était leur unique refuge. Antoine Escalin des Aimars, je te hais pour la souffrance que tu as répandue comme une peste noire. Je connais par leurs noms, la plupart de tes mercenaires et leur descendance. L'héritier de ces femmes violées que je suis, fera payer au centuple le malheur que tu as semé. Les progénitures de tes soldats doivent périr.

L'heure est venue de rétablir la justice.

L'HUMILIÉ

Remerciements

À Carole, ma femme,

À Timothée et Mélodie, mes enfants, pour leur patience lorsque je m'isole pour écrire et pour leur soutien indéfectible.

À Christophe Guillaumot, mon collègue et ami, lauréat du Prix 2009, qui a su me convaincre de concourir.

Aux membres du jury qui se sont prononcés en faveur de mon roman.

À Jacques Mazel, pour son aide précieuse, qui assure la métamorphose d'un manuscrit et favorise la naissance d'un livre.

PRIX DU QUAI DES ORFÈVRES

Le Prix du Quai des Orfèvres, fondé en 1946 par Jacques Catineau, est destiné à couronner chaque année le meilleur manuscrit d'un roman policier inédit, œuvre présentée par un écrivain de langue française.

• Le montant du prix est de 777 euros, remis à l'auteur le jour de la proclamation du résultat par M. le Préfet de police. Le manuscrit retenu est publié, dans l'année, par les Éditions Fayard, le contrat d'auteur garantissant un tirage minimal de 50 000 exemplaires.

• Le jury du Prix du Quai des Orfèvres, placé sous la présidence effective du Directeur de la Police judiciaire, est composé de personnalités remplissant des fonctions ou ayant eu une activité leur permettant de porter un jugement qualifié sur les œuvres soumises à leur appréciation.

• Toute personne désirant participer au Prix du Quai des Orfèvres, peut en demander le règlement au :
Secrétariat général du Prix du Quai des Orfèvres
36, rue du Bastion
75017 Paris

Site : www.prixduquaidesorfèvres.fr
E-mail : prixduquaidesorfevres@gmail.com

La date de réception des manuscrits est fixée au plus tard au 15 mars de chaque année.

Composition et mise en pages
Nord Compo à Villeneuve-d'Ascq